Für meine Eltern.

Ich danke euch für eure Begeisterung,
eure Unterstützung
und vor allem für eure Zuneigung.

Inhaltsverzeichnis

1. Tag

1. Kapitel

In einem Waldgasthof vor Loßburg bei Freudenstadt, Schwarzwald, 1846

Elisa Gieseke schlug die Augen auf und wusste im ersten Moment nicht, wo sie sich befand. Aus Romanen kam ihr das durchaus bekannt vor, aber dass es ihr einmal selbst so ergehen würde, hätte sie nicht für möglich gehalten. Hinter den Fensterläden drang nur spärliches Licht in ihr Zimmer. Das Bett, in dem sie lag, war ihr fremd. Sie wusste nicht einmal, ob sie freiwillig hier war. Auch die sich in der Düsternis andeutenden Umrisse des Raumes erkannte sie nicht wieder. Ein kleiner Tisch mit einem Stuhl, ein Waschschrank, ein Kleiderschrank. Alles schlichte, bereits ältere Holzmöbel. Wie in einer Herberge.

Damit kehrte die Erinnerung so plötzlich zurück, wie es gestern zu schneien begonnen hatte: Aus dem grauen Himmel war erst eine einzelne Schneeflocke an Elisas Kutschenfenster vorbeigefallen, innerhalb weniger Augenblicke jedoch war die Außenwelt verschwunden, so dicht war der Schneesturm geworden. Der Kutscher hatte Elisa zum Waldgasthof gebracht, wo sie nächtigen sollte. Er hatte die Postkutsche samt Inhalt dort abgestellt, war aber selbst mit dem Pferd weitergeritten. Offensichtlich vertraute er auf die Abgeschiedenheit des Gasthofes oder aber darauf, dass die Schneedecke seine Kutsche verbarg.

»Kein Einheimischer würde da übernachten. Und so schnell lasse ich mich von ein bisschen Schnee nicht unterkriegen! Das wäre ja gelacht, *Sapprement noch emol ni*«, so etwas hatte der Kutscher in seinen Bart gemurmelt, als sich Elisa von ihm bei einsetzender Dunkelheit verabschiedet und gefragt hatte, ob er nicht sicherheitshalber ebenfalls im Gasthof unterkommen wollte. So ganz verstand sie diesen schwäbischen Dialekt nicht. Das Wetter kam ihr bedrohlich hier im Schwarzwald vor, aber der Mann war ihr zuversichtlich erschienen, dass er sein Ziel erreichen würde. Wenn der Gasthof so heruntergekommen war, wie Elisa befürchtete, sodass der Kutscher schon nicht bleiben wollte … zumindest eine Nacht würde sie darin überstehen, hatte sie sich Mut gemacht.

Ein letztes Mal gähnte Elisa und streckte ihren Fuß unter den kratzigen Laken hinaus, um aufzustehen. Die Kälte, die scharfzahnig an ihrem Bein nagte, ließ sie sich jedoch unter die Decke zurückziehen. Es spräche bestimmt nichts dagegen, wenn sie erst in einigen Minuten nachsah, wie viel es über Nacht noch geschneit hatte und was es im Waldgasthof zu frühstücken gab. Ein wenig döste sie noch und stellte sich vor, was sie in Freiburg, ihrem Reiseziel, wohl erwarten würde, bis ihr vor Hunger grummelnder Magen Elisa aus dem Bett in die Kälte scheuchte.

Sie versuchte die Fensterläden zu öffnen, damit Licht für ihre Morgentoilette in ihr Zimmer fallen konnte. Doch so fest sie auch gegen die Läden drückte, sie ließen sich nicht einen Spaltbreit öffnen. *Verflixt!*, schimpfte sie in Gedanken vor sich hin und musste sich mit dem wenigen Licht begnügen, das ihr zur Verfügung stand. Eine Hilfe für ihre Frisur und zum Ankleiden wollte sie sich nicht rufen, sie hatte lange dafür gekämpft, selbst zurechtzukommen. *Auf die Fensterläden muss ich den Gasthofbesitzer – wie hieß er noch? Wendelin? – aufmerksam machen*, nahm sich Elisa vor. Auch wenn sie sogar über das einfachste freie Zimmer glücklich gewesen war, dass die Fensterläden nicht zu öffnen waren, konnte nicht angehen.

Sie schnürte nur locker ihr Mieder und schlüpfte in das vom letzten Tag leicht knittrige Kleid, dessen Kornblumenblau im dämmrigen Licht traurig stumpf wirkte. Mit längst verinnerlichten Handgriffen steckte sie sich die Haare mehr schlecht als recht zur einer simplen Frisur auf, da sie sich im Spiegel kaum erkennen konnte. Es erwies sich letztlich als Vorteil, seit einigen Jahren stets die gleiche Frisur zu tragen. Anschließend war es dringend Zeit für ein Frühstück, darauf wurde Elisa von ihrem Magen erneut hingewiesen. Diesem Protest sollte Einhalt geboten werden und sie hoffte, dass auch bald der Kutscher einträfe, um sie abzuholen.

Das Esszimmer war nicht schwer zu finden, da ihr Gästeraum wie alle anderen auch an einen Flur angrenzte. Dieser Flur führte direkt zur Treppe, an deren Fuß der große Raum lag, in dem eine Theke sowie ein enormer Tisch den ersten Blick auf sich lenkten. Außerdem lud eine Sitzecke am Kamin zum Verweilen ein. Auch hier gab es kaum Tageslicht, aber viele Kerzen flackerten emsig in ihren Halterungen. Sie verbargen allerdings nicht, dass die Teppiche ausgetreten und die ehemals weiße Wandfarbe gräulich waren. Dennoch gefiel Elisa die Atmosphäre, die durch die vielen Häkeldeckchen und Bordüren behaglich wurde.

Wendelin Idemann, an dessen Namen sich Elisa bei seinem Anblick sofort erinnerte, schürte bereits ein knisterndes Kaminfeuer. Dem Speckgeruch nach zu urteilen, tischte seine Frau Maria ein herzhaftes Frühstück auf, nach dem sich Elisas Magen sehnte. Auch das frisch gebackene Brot, dessen Duft ihre Nase erhaschte, ließ ihr das Wasser im Mund zusammenlaufen. Die Gerüche machten das abgenutzte Aussehen des Gasthofes mehr als wett und sie konnte es kaum erwarten, die ersten Bissen zum Mund zu führen.

»Guten Morgen, Herr Idemann!«, grüßte Elisa ihren Gastgeber, außer dem noch niemand im Raum war.

»Guten Morgen, Fräulein. Gut geschlafen?«

Elisa nickte artig. »Vielen Dank. Sehr gut. Es gibt aber ein Problem mit den Fensterläden. Ich bekomme sie nicht geöffnet. Sie scheinen zu klemmen.«

Herr Idemann legte den Kopf schräg, schaute sie dabei abschätzend an. Schließlich brach er in Gelächter aus und schlug sich mit der flachen Hand auf das Knie. Hätte er nicht einen solch lustigen Anblick geboten, hätte sich Elisa gewiss vor den Kopf gestoßen gefühlt. So fiel sie in seinen Heiterkeitsausbruch ein, auch wenn sie gar nicht so genau wusste, weshalb. Herr Idemann schnappte schließlich nach Luft, hustete einen schleimigen Pfeifenraucherhusten und sagte: »Kind. Bei dem Schnee, *wunderet dich des*?«

»Entschuldigen Sie bitte, aber was genau meinen Sie?«, fragte Elisa, die sich an ihr unverständliches Gespräch mit dem einheimischen Kutscher erinnert fühlte. So freundlich diese Menschen hier im Schwarzwald auch alle waren, so wenig verstand sie sie manchmal. Bereits vor zwei Jahren war sie zur Recherche für einen ihrer

Zeitungsartikel im Schwabenland zu Besuch gewesen und damals hatte dieses Kauderwelsch sie ebenfalls verzückt.

»Na, eingeschneit sind wir. Auf den äußeren Fensterbrettern wird der Schnee sich zur Barriere für die Fensterläden türmen. Wir werden hier wohl die nächsten paar Tage nicht herauskommen. Machen Sie doch nicht so ein Gesicht, Fräulein!« Wendelin Idemann begann wieder breit zu grinsen. »Das passiert hier öfter. Zu essen und zu trinken haben wir genug da. Keine Sorge. Und sein eigenes Bett hat immerhin auch jeder. Ich glaube, Maria und ich haben beinahe mehr eingeschneite Tage hier verbracht als uneingeschneite.« Erneut brach ihr Gastgeber in schallendes Gelächter aus.

Elisa hingegen fand keinen Grund, dieses Mal mit in den Heiterkeitsausbruch einzustimmen. »Das passiert hier öfter? Aber ich muss dringend nach Freiburg! Kann man denn nicht … nun ja … irgendetwas tun?«

»Sie werden´s schon aushalten mit uns. Und Freiburg läuft ja auch nicht weg, Kind.«

Kläglich hakte sie nach: »Aber was machen Sie denn, wenn jemand krank wird?«

»Fräulein, Sie sterben uns schon nicht unter den Händen weg.« Herrn Idemanns gute Laune war ihm nicht auszutreiben, das stand für Elisa fest. Ihr Gastgeber drehte sich in Richtung Küche und rief: »Maria, ich glaub, das Fräulein braucht etwas in den Magen!« Er wandte sich zurück zu Elisa und fügte leiser hinzu: »Sie heißen Gieseke, richtig?«

Zunächst einmal blieb Elisa die Sprache weg. Sie war in ihrem Leben niemals zuvor an einem Ort gefangen gewesen, ohne Möglichkeit, hinauszugehen. Sie dachte kurz an ihren Gatten, der ihr Eingeschneitsein als eine ihrer »Kapriolen« bezeichnen würde, wie er es gerne mit Missgeschicken tat, für die Elisa nichts konnte, die ihr aber regelmäßig widerfuhren. Ihr undamenhafter Sonnenbrand auf der Nase letzten Sommer beispielsweise: Elisa hatte sich mit Sonnenschirm in ihrem Garten in den Schatten gesetzt und war über ihrer

Lektüre eingeschlafen. Der Schirm musste ihr aus der Hand gerollt sein, während zugleich die Sonne gen Westen gewandert war. So schnell war ihre zuvor edle Blässe ruiniert und Elisas Gatte hatte erneut einen Grund gehabt, seine bleiche Nase zu rümpfen.

Nach einem herzhaften Seufzer, der ihrer Lage galt und nicht ihrem amüsanten Gegenüber, sagte sie: »Ach, nennen Sie mich doch Elisa, ein Fräulein bin ich ohnehin nicht mehr. Wenn wir hier schon miteinander festsitzen, dann können wir uns das sparen.«

»Sehr erfreut! Elisa, ich bin der Wendelin.« Frau Idemann trat samt übervollem Teller aus der Küche und Wendelin fügte hinzu: »Und das ist Maria. Maria, Elisa ist das erste Mal eingeschneit, glaube ich. Hast du ihren Teller auch schön vollgeladen?«

»Ja sicher, wie du sehen kannst«, antwortete die dralle Gasthofköchin und zwinkerte Elisa aufmunternd zu.

Es hätte schlimmer kommen können. Hier wird es bestimmt lustig zugehen, dachte Elisa und versuchte sich nicht zu wünschen, dass sie einfach aus der Haustür treten und zu Fuß nach Freiburg laufen könnte. Mit welchen weiteren »Kapriolen« sie noch zu rechnen hätte, wollte sie sich gar nicht erst ausmalen.

Elisa hatte es noch nicht bis zum Tisch geschafft, um mit ihrem Frühstück zu beginnen, da erschienen auf der Treppe zwei Männer, die dem Aussehen nach ebenso alt wie sie selbst wirkten.

So manches Mal entlockte Elisa ihren Gesprächspartnern einen überraschten Ausruf, wenn sie zugab, bereits Mitte zwanzig zu sein. Ein wenig Stolz erfüllte sie, wenn man ihr daraufhin versicherte, dass man sie ein paar Jährchen jünger geschätzt hätte. Das Kratzen an ihrem Herzen, dass dies unter Umständen auf ihre Kinderlosigkeit zurückzuführen war, ignorierte sie geflissentlich.

Beide Männer hatten braunes Haar, eher blasse Gesichter und trugen modische Cutaway-Anzüge. Sie liefen geschwind, ja federnd die Treppe hinab, sodass sie Elisa an junge Knaben erinnerten: Sie sah die beiden vor ihrem geistigen Auge mit ihren Hosenböden auf dem Geländer hinunterrutschen und dachte an ihren kleinen Bruder, der das zum Verdruss ihrer Mutter nur zu gerne praktiziert hatte. »Ernst!«, hallte der Aufschrei ihrer Mutter in ihrer Erinnerung, wie sie ständig Elisas zwei Jahre jüngeren Bruder tadelte, der weder als Kind noch heute den nötigen Ernst bezüglich seines Daseins an den Tag legen wollte, womit er seinem Namen keinesfalls gerecht wurde.

Wendelins Gesicht erhellte sich und er sagte lauter, als es nötig war: »Die Engländer! *Good morning*, Cyril! *And good morning*, David!«

In beinahe akzentfreiem Deutsch antwortete einer der angeblichen Engländer: »Guten Morgen auch dir, Wendelin. Hervorragend, wie du dir das gemerkt hast.«

Der andere der beiden ging nicht auf die Begrüßung ein, sondern brachte dasselbe Anliegen wie Elisa vor: »Wir bekommen unsere Fensterläden nicht auf. Kann es sein, dass sie klemmen?«

»Ja, heute Nacht hat es nicht aufgehört zu schneien. Durch den Schneesturm sind wir eingeschneit«, erklärte Wendelin und versuchte eine betrübte Miene hervorzubringen, was ihm Elisas Meinung nach misslang. Er wiederholte, dass kein Grund zur Sorge bestehe, und fügte hinzu: »Aber wo sind meine Manieren? *Gentlemen*, darf ich Ihnen die hinreißende Elisa Gieseke vorstellen? Sie suchte hier gestern vor dem Sturm Zuflucht. Und Elisa, es freut mich, Sie mit unseren beiden englischen Gästen bekannt zu machen: Cyril Hodgson und David Millner.«

Elisa reichte beiden ihre Hand. Cyril war der etwas kleinere und schmächtigere der beiden und hatte beinahe schwarze Augen, von denen sie sich ein wenig durchbohrt fühlte. Sein ihm auf den ersten Blick so ähnlicher Freund David hingegen unterschied sich von Cyril durch ein paar Zentimeter Körpergröße und helle Augen. Elisa war gespannt, welche Charaktereigenschaften die beiden verband und trennte. *In unserem Inklusorium haben wir sicherlich genügend Gelegenheit, uns kennenzulernen*, vermutete Elisa. Freudige Sympathie brodelte in ihrem Herzen, als sie reihum die Gesichter der ihr eigentlich so fremden Menschen betrachtete.

Noch bevor alle Höflichkeiten ausgetauscht waren, knarzte die Treppe und zwei weitere Personen erschienen. Eine junge Frau, Elisa schätzte sie auf knapp 20 Jahre, stieg untergehakt am Arm ihres gut zehn Jahre älteren Mannes die Treppe hinunter. Dieser nickte in die Runde und vermutete sofort richtig: »Eingeschneit, nicht wahr? Habe ich hier im Schwarzwald schon öfter erlebt. Kann richtig gemütlich werden. Bietet häufig Stoff für gute Geschichten, wenn man nach Hause zurückkehrt.«

»Guten Morgen«, grüßte seine Frau in die Runde. »Maria, ist der Kaffee fertig?« Dunkle Augenringe verunstalteten ihr ansonsten ansehnliches Gesicht. Fahrig kratzte sie sich am Arm und ihr Blick huschte unstet umher. Elisa vermutete, dass hieran nicht nur eine schlaflose Nacht die Schuld trug. Das verängstigte Verhalten der jungen Frau rührte sie.

Wendelin sprang wieder ein und erfüllte begeistert seine Gastgeberpflicht. »Dann sind wir ja beinahe vollzählig. Wenn mich nicht alles täuscht, wird Conrad Oberender erst zum Mittagessen zu uns stoßen. Herr und Frau Tappmeyer, unsere Engländer kennen Sie ja bereits. Die junge Dame hier heißt Elisa Gieseke. Elisa: die Tappmeyers.«

Man nickte einander zu und reichte sich die Hände. Elisas Bauch grummelte erneut. Er hatte eindeutig all die Bekanntmachungen satt und wollte, dass sie endlich das Essen zu sich nahm, das so verführerisch auf dem Teller lag und duftete. Elisa folgte ihrem Hunger, setzte sich und konnte sich nur schwer beherrschen, nicht sofort die ersten Bissen zum Mund zu führen. Allem gebotenen Anstand gehorchend, schaffte sie es, so eben zu warten, bis Maria weitere großzügig gefüllte Teller ausgeteilt hatte. Mit Schinkenwürfeln gespicktes Rührei türmte sich zu saftig glänzenden Bergen auf. Ein wenig Käse verlief zwischen den einzelnen gelb-weißen Bröckchen und wartete sehnsüchtig darauf, von Elisa mit Brot verzehrt zu werden, die es kaum mehr schaffte, ihre Augen von der Nahrung loszureißen. Nach endlosen zwei Minuten saßen alle am Tisch und frühstückten gemeinsam.

Ein Schmatzen beim Verzehren des köstlichen Frühstücksmahls unterdrückend, erfuhr Elisa einiges über ihre Mitgefangenen, während sie ihren Teller leerte: Die Tappmeyers hießen Joseph und Theresia und waren hier auf Hochzeitsreise. Seinen Urlaub verbrachte der Hesse am liebsten im Schwarzwald. Die beiden Engländer waren zur Bildungsreise in Deutschland. Als solche hatten sie ihr Vorhaben zumindest ihren Eltern verkauft, die sie bereits als Kinder in der deutschen Sprache unterrichten ließen. Allerdings bildeten sich die beiden weniger, als dass sie ihre Zeit genossen und ein Abenteuer nach dem nächsten suchten. *Mit der Gefangenschaft unter Schneemassen haben sie eine geeignete Geschichte gefunden, die sie einmal ihren Enkelkindern werden erzählen können,* dachte Elisa.

Sie schob sich eine letzte Gabel voll Ei und Speck in den Mund, da richtete Cyril sein Wort an sie: »Und wohin sollte dich dein Weg führen, als dich der Schneesturm zwang, hier einzukehren?«

»Ich fürchte, ich verpasse eine der spannendsten Gerichtsverhandlungen unserer Zeit. Gewiss ist allen der Stilett-Mörder ein Begriff? Ich schreibe Zeitungsartikel und hätte dazu gerne etwas beigetragen.« Elisa runzelte unwillkürlich ihre Stirn und dachte an das, was ihr entging. Ärgerlich war, dass sie sich bei ihrem Gatten für diese Reise so hatte einsetzen müssen. Normalerweise hieß er ihre Arbeit durchaus gut. Sie hatten keine Kinder bekommen können und deswegen ging nun jeder seinen eigenen Interessen nach – zugegeben, sie fand Gefallen an dieser modernen Lebensweise und fühlte sich damit manchmal anderen gleichaltrigen Frauen überlegen. Wenn Elisa allerdings zu weiter entfernten Reisen aufbrechen wollte, die zumindest nicht im Frankfurter Umkreis lagen, wo sie wohnten, konnte es sein, dass ihr Gatte das nicht dulden wollte. »Was sollen die Leute sagen? Ist es nicht genug, dass ich dich überhaupt für dieses Blatt schreiben lasse?«, pflegte er ihr dann an den Kopf zu werfen. Um keinen ehelichen Unmut zu wecken, hatte Elisa deshalb ihr Interessengebiet auf den Raum um Frankfurt verlegt, das sie allerdings in solchen Sonderfällen beliebig ausweitete.

»Du bist Journalistin?«, hakte David nach. Er kniff leicht die Augen zusammen und schaute sie intensiv an, als suche er ein äußeres Merkmal, das alle Journalisten einte.

»Hin und wieder. Mein Großonkel ist ein hohes Tier bei einer Zeitung in Frankfurt und nimmt meine Artikel, wenn ich welche für ihn habe.« Um allmählich von sich selbst wieder abzulenken, fragte Elisa: »Wo genau befinden wir uns hier eigentlich? Ich muss gestehen, dass ich mich nicht um die Route gekümmert habe, sondern dem Fahrer der Postkutsche blind vertraute. Und durch den Schneesturm kann ich nun gar nicht sagen, wo dieser Waldgasthof hier liegt.«

Durch das allgemeine Gelächter, das durchaus wohlwollend klang, färbten sich Elisas Wangen rot, aber sie hielt den Blicken in der Runde stand.

»Mädchen, du bist in der Nähe von Freudenstadt, falls dir das etwas sagt«, erklärte Joseph Tappmeyer großzügig. Auf ihr Nicken hin fuhr er fort: »Südlich davon liegt Loßburg. Davon wiederum westlich im Wald befindet sich dieser traute Gasthof. Willkommen im Schwarzwald! Aber darüber warst du dir wohl im Klaren, oder?«

»In Freudenstadt gibt´s Freuden satt!«, murmelte David, woraufhin Cyril prustete. David zwinkerte Elisa dezent zu.

Elisas Unmut, nicht bei dem Stilett-Mörder sein zu können, dem seine Opfer vergeblich versucht hatten fernzubleiben, bröckelte immer mehr, je besser sie die anderen Gäste kennenlernte. Die wilde Hoffnung, sich durch diesen einen großartigen Artikel in der Heimat einen Namen als Journalistin zu machen, musste sie endgültig begraben. Losgezogen war sie in dem Irrglauben, dass sie durch einen brillanten Artikel über die Verhandlung in Freiburg womöglich eine feste Anstellung bei einer Zeitung fand und nicht länger auf die Mitleidsartikel ihres Onkels angewiesen wäre. Sie hätte sich mehr Freiheiten erkämpft und hätte sich vielleicht sogar von ihrem Mann losreißen können. Eine ganz utopische Vorstellung zeigte ihr ein neues Leben mit einem anderen Mann, der ihr Herz wild zum Schlagen brachte und dem sie eine kleine Kinderschar schenken würde. Wie immer versagte sie sich dieses letzte Wunschbild, bevor es richtig Gestalt annehmen konnte, und konzentrierte sich auf die Gegenwart: kein Freiburg, kein Artikel. Damit kein neues Leben, das ihr nüchtern betrachtet, auch nicht bevorgestanden hätte, wenn sie es nach Freiburg geschafft hätte.

Rasanter, als es unter normalen Umständen üblich gewesen wäre, herrschte ein freundschaftlicher Umgangston, wodurch Elisa es verschmerzen konnte, nicht der Verurteilung des Stilett-Mörders beizuwohnen. Ihrer journalistischen Neugierde konnte sie wenigstens dahingehend folgen, die Geheimnisse dieser Leute aufzudecken, sofern sie überhaupt lange genug hier festsaß. Dass jeder hier seine Geheimnisse hütete, selbst bildete sie darin keine Ausnahme, dessen war sie sich sicher. *Vielleicht wird es hier gar nicht so viel schlechter als bei der Verhandlung in Freiburg*, tröstete sie sich. *Und vielleicht werde ich heute Abend einmal nicht erleichtert sein, dass wieder ein Tag überstanden ist, und ich kann mit einem Gefühl der Zufriedenheit einschlafen.*

2. Kapitel

Der Nachmittag neigte sich dem Ende zu. Die allgemeine Stimmung war stetig heiterer geworden, was nicht zuletzt an Wendelins Selbstgebranntem lag, den er gerne ausschenkte. Seine »Medizin gegen die Kälte« wirkte und die Nebenwirkung, dass sich ein Frohsinn in die Gemüter schlich, fand Elisa gar nicht übel. Sogar Theresias Angst hatte sich nach einer gewissen Dosierung von Wendelins »Medizin« gelegt. Sie war lockerer geworden, hatte aufgehört zur Haustür zu starren und sich über die Arme zu reiben. Elisa amüsierte sich köstlich über Theresias freche, geflüsterte Kommentare über Männer, über Josephs Parodien bekannter Persönlichkeiten und über die Berichte der beiden Engländer über ihre Abenteuer. Genau genommen konnte sie sich nicht erinnern, wann sie zuletzt so heiteren Gemüts gewesen war.

Als allmählich nicht einmal mehr andeutungsweise Tageslicht durch die Fensterritzen zu erspähen war, rückten sie alle näher zueinander und machten es sich vor dem Kamin gemütlich. In die weichen, wenn auch rissigen Polstermöbel konnte man tief einsinken und sich entspannen. Dass der abgewetzte Stoff wohl reichlich benutzt worden war, erschien Elisa aufgrund der Gemütlichkeit verständlich und nachsehbar. Das Kaminfeuer prasselte und die Holzverkleidung der Wände wirkte urig. Es war fast, als hätte man im Nest eines schwäbischen Vogels einen Unterschlupf gefunden. Wenn Elisa in die Runde blickte, dann glaubte sie, dass sie sich glücklich schätzen konnte, mit welchen Menschen sie hier gefangen war. Wenn sie an die Ziege Frau Mitterbrühl dachte, deren Gesellschaft sie zu Hause leider ab und an ertragen musste, konnte sie ein befreites Durchatmen kaum unterdrücken.

Inzwischen saß Conrad Oberender zu ihrer Rechten, der, wie von Wendelin vermutet, tatsächlich erst zum Mittagessen erschienen war, seither aber bei ihnen blieb. Auch er erwies sich letztlich als geselliger Herr. Stolz trug er seinen hellgrauen Bart, in den er gerne mal etwas hineinbrummte, sollte ihm eine Aussage seiner Mitmenschen nicht passen. So schlichte Kleidung er auch trug, so gutmütig blitzten seine Augen.

Auf Elisas linker Seite hatte Theresia Platz genommen, deren scharfe Zunge Elisa sehr genoss und die trotz Theresias junger Jahre genau in ihr Ziel traf. Schnell hatte sich eine sachte Freundschaft zwischen den beiden angebahnt und Elisa fiel umso mehr auf, wie ihr in Frankfurt die Verbundenheit mit einer richtigen Vertrauten fehlte. Die Männer priesen momentan ihre eigenen Jagderfolge an und jeder meinte, das größte Tier erlegt zu haben, als Theresia ihr zuflüsterte: »Männer! Wie simpel diese Wesen manchmal gestrickt sind. Genau dieses Gespräch hätte schon vor Hunderten von Jahren so stattfinden können – wenn man einmal die Waffen außer Acht lässt.«

»Das ist wahr!«, pflichtete Elisa ihr schmunzelnd bei. »Mein Gatte frönt ebenfalls gerne der Jagd, was ich ganz abscheulich finde. Wenn er dann verdreckt – und im schlimmsten Fall blutbeschmiert – nach Hause kommt, dann war der Hirsch so groß, dass wir uns angeblich ein ganzes Jahr daran werden satt essen können. Und sein

Geweih ist stets zu groß, um es durch die Haustür zu bekommen.«

»Du bist verheiratet? Wieso bist du dann alleine unterwegs?«, fragte Theresia nach.

»Das ist eine lange Geschichte … «, versuchte Elisa ihr auszuweichen. Ihr Privatleben war nichts, womit sie sich die Stimmung ruinieren wollte. Häufig begegnete sie Verständnislosigkeit, dass sie sich nicht in die ihr zustehende Rolle als Frau einfügte. Gerade eingeschlossen mit diesen Fremden, gedachte sie sich nicht vorzeitig zum Außenseiter zu machen. »Weißt du, Theresia, ich würde mir den Abend lieber nicht verderben, indem ich über meinen Gatten spräche.«

»Ich verstehe«, sagte Theresia und nickte verständnisvoll. Sie zwirbelte eine ihrer blonden Locken zwischen Daumen und Zeigefinger.

Du hast ja keine Ahnung, dachte Elisa, war aber froh, dass sie Theresia und ihre Neugierde hatte abwimmeln können. Sie rechnete es ihr hoch an, dass sie nicht weiter in sie drang, um ihr das Geheimnis zu entlocken. In Gedanken entschuldigte Elisa sich noch bei Justus, der kein so übles Monster war, wie sie gerade impliziert hatte. Sie nahm sich dennoch vor, sein Gesicht in nächster Zeit nicht mehr in Gedanken vor sich zu sehen.

Nachdem Elisa aus ihrer kurzen Träumerei, einer ihrer »Kapriolen«, aufgetaucht war, hörte sie Joseph sagen: » … dann hat der Eber seinen Kopf zu mir gewandt und ich dachte nur: Du oder ich! Dem Biest habe ich eine Kugel zwischen die Augen gesetzt, dass das Hirn nur so spritzte – und es hat später fabelhaft gemundet, nicht wahr, Resi?«

Theresia tätschelte ihm das Knie und verdrehte träumerisch die Augen. »Fabelhaft, absolut köstlich!«

In der von Wildschweinbratenahnungen beladenen Stille ertönte ein quietschendes, gar kreischendes Knarzen. Es klang, als litte das gesamte Haus Qualen. Als sänge das Holz ein Lied des Kummers. Elisa war versucht den Kopf einzuziehen, ließ dies aber ob der Nutzlosigkeit dieser Geste bleiben. Das Geräusch schnitt sich schmerzhaft durch ihre Ohren. Alle Gespräche verstummten. Nicht nur Elisa war die Bedrohlichkeit aufgefallen. Man schaute sich im großen Speiseraum um. Aber keiner fand den Auslöser dieses schreihaften Klanges. Elisa biss die Zähne zusammen. Ihre Finger verkrampften, so fest klammerte sie sich im Polster des Sessels fest.

So schnell, wie es gekommen war, verschwand das Geräusch auch wieder. Zurück blieben eine Gänsehaut auf Elisas Armen und ein paar ratlose bis erschütterte Gesichter.

»Was um Himmels willen war denn das gerade?«, fragte Cyril.

Theresia war vollkommen bleich geworden. Selbst die Röte ihrer Lippen war ihr abhandengekommen. Elisa beobachtete, wie Theresia auf der Innenseite ihrer Wangen herumkaute. Als der Boden im Nachhall des Geräusches einmal kurz bebte, brach Theresias Furcht auch ihr heraus. »Lass uns gehen, bitte, lass uns gehen!«, schrie sie ihren Gatten an.

Joseph nahm ihre Hand, drückte sie und flüsterte laut wie eine Figur im Theater: »Ist schon gut. Wir können noch nicht weg. Alles ist gut.«

Wendelin machte eine wegwerfende Handbewegung. »Das Haus ächzt lediglich unter der Schneelast. *Dunderwätter!* Ist es ihm zu verdenken bei den Mengen, die es tragen muss?«

Conrad schüttelte den Kopf und brummte in seinen Bart: »Für dumm verkaufen lasse ich mich nicht. So klingt gewiss kein Holz.«

Elisa glaubte als Einzige seine Worte aufgeschnappt zu haben, aber Marias Ohren waren sie ebenfalls nicht entschlüpft. Sie sprang ihrem Mann zur Seite. »Der Wendelin hat recht. Im Winter knarzt und ächzt es manchmal, dass einem angst und bang wird. Aber bisher hat das Dach immer gehalten. Im Sommer reparieren wir es immer anständig für das nächste Jahr, nicht wahr, Wendelin?«

»Das trägt den Schnee noch viele Jahre. Des wär noo scheener, wenn es des nit packe dät!« Für Wendelin war damit die Sache beendet und er schenkte eine weitere Runde seines Selbstgebrannten aus. »Und wer errät denn nun die Geheimzutat?«, fragte er in die Runde.

Keiner wollte dem unheimlichen Vorkommnis länger als nötig seine Aufmerksamkeit schenken. Lediglich Theresia kam nicht mehr zur Ruhe und klammerte sich weiterhin an die Hand ihres Gatten. Joseph erduldete das, ohne darauf zu reagieren.

Es wurden munter Vorschläge in die Runde gerufen.

»Nelke?«

»Pfefferminze?«

»Anis?«

Conrad beteiligte sich ebenfalls nicht. Er lehnte sich zu Elisa und raunte: »Kind, du solltest heute Nacht deine Tür gut verschlossen halten. Auch wenn sich das, was du ausschließen möchtest, wahrscheinlich nicht von einer Tür aufhalten lässt.«

Elisa spürte, wie sich ihr die Kehle zusammenzog. Ihr wurde flau im Bauch und der Mund trocken, dass sie nicht mehr schlucken konnte. *Was hätte denn, abgesehen vom alten Holz, solch ein Geräusch erzeugen können?*, rätselte Elisa. Die Warnung Conrads ging ihr unter die Haut. »Conrad, was meinst du?«

Elisa sah den älteren Mann aufmerksam an, aber er hielt seine Augen geschlossen und war tief in seinen Lehnsessel gerutscht. Conrad versuchte offenbar auszusehen, als wäre er eingeschlummert, aber Elisa fiel darauf nicht herein. Für sie schien es, als läge er auf der Lauer.

»Lavendel?«

»Holunderbeeren?«

»Ihr kommt nicht drauf«, triumphierte Wendelin.

David lachte. »Machst du es jetzt wie das Rumpelstilzchen und verrätst es uns erst, wenn wir es ohnehin bereits erraten haben?«

Theresia zuckte durch Davids Lachen zusammen.

Elisa entschied, nicht in dieselbe Panik zu verfallen und vernünftig zu bleiben. »Woher kennt ihr Engländer denn unser Rumpelstilzchen?«, hakte Elisa nach und versuchte ihre Stimmung wieder aufzulockern. Von einem rational erklärbaren Geräusch und dem Gerede eines womöglich wirren, alten Schwätzers wollte sie sich den Abend nicht verderben lassen.

»Wir sind schon seit einer ganzen Weile in Deutschland. Und um wenigstens ein bisschen Bildung nach Hause tragen zu können, haben wir uns mit den Märchen beschäftigt. Wir sind in Frankfurt sogar Wilhelm Grimm begegnet. Wir konnten ihn nach seiner Rede beim Germanistentag in eine kleine Spelunke locken und uns sehr angenehm mit ihm unterhalten. Und trinkfest ist der Bursche auch. Der ist vielleicht ein Märchenerzähler!« Cyril nickte zu Davids Worten zustimmend und ein kurzes, wissendes Lächeln rann über seine Lippen.

»Ihr wart in Frankfurt? Dort wohne ich. Wie hat euch die Stadt gefallen?« Elisa wurde unerklärlicherweise ganz unruhig. Es bereitete ihr großes Vergnügen, mit den beiden Engländern über Frankfurt zu sprechen, und sie war stolz darauf, dass die beiden ihren dortigen Aufenthalt genossen hatten. »Ich habe mich am Germanistentag auch am Römer aufgehalten. Vielleicht sind wir ja aneinander vorbeigelaufen.«

»Dann hätten wir dich bestimmt auch zu einem Bier überredet«, sagte David und Cyril fügte hinzu: »Oder zu mehreren.«

Lächelnd wandte Elisa ihren Blick ab. Gerade rechtzeitig, um beobachten zu können, dass das Feuer im Kamin flackerte, sich aufblähte und erlosch. Die Kerzen gingen eine nach der anderen aus, bis sie alle in völliger Dunkelheit saßen.

Elisa hätte nicht einmal mehr die eigene Hand vor Augen erkennen können. Eine Kälte umfing sie, die nicht aufgrund der nur seit wenigen Sekunden fehlenden Flammen eingesetzt haben konnte. Die Gespräche erstarben. Dunkelheit und Stille lasteten gleichermaßen auf Elisa. Sacht klapperten ihre Zähne, aber sie versuchte kein Geräusch zu machen. Achtsam wollte sie bleiben.

Herausfinden, was um sie herum geschah. Obwohl sie nichts erkennen konnte, riss sie die Augen so weit wie möglich auf. Ihre Atmung beschleunigte sich.

»Diese Zugluft aber auch«, schimpfte Maria nach einigen Sekunden. »Einen Moment bitte, dann brennt das Feuer wieder.«

»Zugluft?«, wiederholte Cyril voll Unglauben in der Stimme.

Es rumpelte. »*Gopferdori!*«, fluchte Maria. Cyrils Frage verhallte unbeantwortet, aber seine Skepsis entfachte ein Feuer der Neugierde in Elisa, das ihre Angst schier wegbrannte.

Elisa hielt bewusst den Atem an und lauschte. *Was tun die anderen gerade? Und was geschieht sonst um mich herum?*, fragte sie sich. Eine derartig tiefe Finsternis hatte Elisa noch nie gemocht und sie entging ihr zumeist durch die gute Straßenbeleuchtung in Frankfurt. Ihre Fantasie spielte ihr zu gerne Streiche, wenn einmal kein Licht in ihr Fenster fiel, ihre Imagination flüsterte ihr gruselige Szenarien zu, die sich so niemals abspielen würden. Aber sie blieb bei Vernunft. Elisa schärfte alle ihre Sinne. *Es legt nicht gleich ein Monster seine Hand auf deine Schulter!*, sagte sie sich vor, wenn es ihrer Angst doch gelang, sie zu packen. Und sie glaubte auch daran. Zumindest fast.

Einige Meter weiter weg hörte Elisa es erneut rumpeln. »*Heilandsack!*«, fluchte daraufhin Maria von einer anderen Stelle aus.

Wendelin fragte: »Soll ich dir helfen?« Selbst Elisa konnte seiner Stimme anhören, dass er lieber gemütlich sitzen bleiben würde.

»Geht schon. War nur ein Stuhl, gleich ist es wieder hell.«

Es blieb still. Jeder horchte darauf, was Maria tat. Es rumpelte hier ein wenig, dann dort, sie zog eine Schublade auf und dann zeugten ihre Schritte davon, dass sie wieder zurückkam. Eine kurze Zeit und einige deftige Flüche später brannte das Kaminfeuer und die Kerzen waren entzündet.

»An den letzten Abenden gab es kein solches Spektakel«, bemerkte Joseph. »Kaum sind alle Zimmer belegt, schon bietet ihr uns etwas für unser Geld. So ist es schön.«

»Wir tun unser Bestes«, konterte Wendelin. »Maria, bereitest du uns nun das Abendbrot?« Er ließ kein Gespräch mehr über den Zwischenfall zu.

Bald war ein schlichtes, aber durchaus mundendes Abendessen vertilgt, ein paar weitere Runden Hochprozentiges getrunken und Elisa tat der Bauch vom vielen Lachen weh. Die Angst, die sie gespürt hatte, als sie so plötzlich in der Finsternis hatte sitzen müssen, war vorerst vergessen. Auch die anderen wollten den Zwischenfall vergessen. Gut gelaunt verabschiedete sie sich zu später Stunde von den anderen, wünschte eine gute Nacht und ging zu Bett. Sie war gespannt, was der nächste Tag bereithalten würde. Vielleicht könnte sie entgegen der Einschätzung Wendelins und Conrads weiterreisen und es noch rechtzeitig nach Freiburg schaffen.

Mühelos glitt Elisa in einen tiefen Schlummer. In der Nacht erwachte sie einmal. Sie saß im Bett und lauschte einer kratzigen Stimme, die ihr prophezeite: »Du wirst sterben. Du wirst sterben. Du wirst …« Am nächsten Morgen würde das vergessen sein.

2. Tag

3. Kapitel

»Sind wir schon frei?«, war das Erste, was Elisa morgens in die noch kleine Runde fragte. Hastig schob sie ein »Und guten Morgen allerseits« hinterher.

Während Maria noch in der Küche Pfannenkuchen buk, gab Wendelin ihr Auskunft. Cyril und David sahen übernächtigt aus, saßen aber kerzengerade am Tisch und horchten auf. »Alles unverändert. Türen und Fenster sind nicht zu öffnen. Aber es hat letzte Nacht nicht mehr geschneit, glaube ich.«

David schlug mit der Faust auf den Tisch, sodass Elisa zusammenzuckte. »Gestern war ja ein geselliger Tag, aber heute habe ich genug davon, hier drinnen eingesperrt zu sein. Ich suche nach einem Ausweg. Vielleicht bekomme ich ja die Haustür geöffnet.«

»Immer mit der Ruhe. Stärke dich erst einmal mit einem Frühstück, danach geht dir dein Vorhaben bestimmt viel leichter von der Hand«, beschwichtigte Wendelin seinen Gast. »Für mein Empfinden hat es stets etwas Friedliches, eingesperrt zu sein. Diese Ruhe solltet ihr genießen, wenn ihr mich fragt.«

»David, du hast recht«, stimmte Cyril seinem Freund zu, ohne auf Wendelin einzugehen. »Heute finden wir einen Ausweg, koste es, was es wolle!«

»Na ja, so dramatisch würde ich es nicht ausdrücken, aber wir geben unser Bestes. Möchtest du uns helfen, Elisa?«

Angesteckt vom Eifer der Engländer, nickte Elisa heftig. »Und ob. Wir lassen uns etwas einfallen.« Das unbehagliche Gefühl, das sie beschlichen hatte, weil ihr die blockierten Fensterläden seltsam vorgekommen waren, war vergessen, bevor Elisa es hatte zur Sprache bringen können.

Daraufhin verschlangen die drei das Frühstück mehr, als dass sie es verspeisten. Manieren sahen anders aus, aber das kümmerte Elisa nicht. Sie wollte unbedingt aus dem Gasthof gelangen können, um rechtzeitig in Freiburg einzutreffen.

Maria beobachtete sie mit kritischem Blick. *Wahrscheinlich ist sie verstimmt, weil wir ihre Pfannenkuchen nicht richtig würdigen*, dachte Elisa, tat ihrem Schlingen aber keinen Abbruch, obwohl ihr das dazu gereichte Apfelmus über das Kinn troff.

Maria seufzte vernehmlich. »Euch ist schon bewusst, dass höchstwahrscheinlich die Straßen nicht passierbar sein werden, selbst wenn ihr aus dem Haus herauskommt. Elisa, denkst du nicht, dass dein Kutscher dich sonst abgeholt hätte? Cyril, David, vor nächstem Donnerstag, also in drei Tagen, wolltet ihr ohnehin nicht abreisen. Wozu also diese Eile?«

»Vielleicht hat der Kutscher mich ja vergessen oder ist anderweitig beschäftigt. Ich werde bestimmt eine andere Postkutsche nach Freiburg finden, wenn ich hier herauskomme«, beharrte sie. Elisa sah es nicht ein, nicht einmal den Versuch zu unternehmen, aus ihrem Schneegefängnis auszubrechen. Sie schob schließlich als

Letzte den Teller von sich. Sogleich sprangen die beiden Engländer auf und liefen mit ihr im Schlepptau zur Haustür.

David rüttelte an der Klinke. »Verschlossen«, murmelte er.

»Ich hole den Schlüssel von Wendelin«, bot Elisa an.

Cyril forderte, dass Elisa ebenfalls eine Schaufel mitbringen sollte.

Ein abenteuerliches Flattern zuckte durch ihre Brust, wenn sie sich vorstellte, dass sie sich wie die Maulwürfe einen Gang graben würden, wenn auch in Schnee statt in Erde. Schnell verwandelte sich das Flattern wie so oft in ein wehmütiges Ziehen, wenn sie an ihren immer leeren Schoß dachte: Kein Kind hatte sie geboren, das ihr abends aufgeregt von Abenteuern berichten könnte, wie sie die Engländer in ihren Kinderjahren erlebt hatten. So gerne hätte sie ein Rudel wilder Söhne bekommen.

»Die Tür öffnet sich nach außen«, widersprach David. »Lass uns erst einmal abwarten, ob wir sie weit genug öffnen können. Dann ist noch genügend Zeit, um das große Werkzeug auszupacken.«

Elisa kehrte beschwingten Schritts zur Küche zurück. Bevor sie anklopfen konnte, hörte sie Wendelin sagen: »Sie bekommen die Tür niemals auf.«

»Bist du sicher?«, fragte Maria.

»Zu viel Schnee drückt dagegen, Maria.«

Elisa räusperte sich. »Wendelin, die Tür ist abgeschlossen. Kann ich den Schlüssel bitte bekommen?«

»Natürlich. Daran habe ich gar nicht gedacht«, sagte Wendelin und förderte einen Schlüsselbund aus der Hosentasche. »Der hier ist es. Bring mir die Schlüssel heil wieder. Es ist der Große hier.«

Als sich Elisa artig bedankte, fiel ihr eine feine Röte auf, die sich auf Wendelins Wangen ausbreitete. Sie bildete einen beinahe erheiternden Kontrast zu seinen grau durchsetzten Strubbelhaaren. »Alles in Ordnung, Wendelin?«

Er nickte und scheuchte sie mit einer Handbewegung wieder weg.

»Maria und Wendelin sind alles andere als optimistisch, dass wir die Tür geöffnet bekommen«, flüsterte Elisa, als sie zurück zu David und Cyril kam. Sie spähte über ihre Schulter, dass niemand sie belauschte.

Elisa reichte David den Schlüssel. Er schloss die Tür auf und drückte die Klinke hinunter, aber nichts tat sich. David stemmte sich zunächst alleine gegen die Holztür, dann warf sich auch Cyril dagegen. Selbst nach mehreren Versuchen war die Tür nur einen winzigen Spaltbreit offen. Gerade weit genug, um eine Schicht Schnee zu erkennen. Auch als Elisa half zu drücken und zu schieben, nachdem Cyril näher zu David gerückt war, um ihr Platz zu machen, tat sich nichts. In ihrem Mieder blieb ihr die Luft weg, dennoch stemmte sie sich fest gegen die Tür.

»Keine Chance«, konstatierte schließlich Cyril.

»Vielleicht lässt sich eines der Fenster aufklappen?« Elisa war noch nicht bereit, die Hoffnung aufzugeben und diese im Schnee sprichwörtlich zu begraben.

Auch an den beiden Fenstern, an denen sie ihr Glück versuchten, scheiterten sie.

Verzagt meinte Elisa: »Einen Ausweg muss es doch geben. Können wir vielleicht zum Dachboden irgendwie hinausklettern? Oder zum Kamin?«

»Wohl kaum. Und selbst wenn, würde uns das nichts nützen. Wenn die Lage tatsächlich so schlimm ist, wie es den Anschein macht, dann kannst du zwar einen Fußmarsch durch den Wald unternehmen, aber kein Weg wird passierbar sein. Du stapfst eine Weile im Schnee umher, bis du schließlich nicht mehr kannst und vielleicht den Weg zurück nicht mehr findest. Deine Glieder werden von der Kälte starr. Am Ende findet sich doch noch ein Wolf, der in sich in den Wäldern vor den letzten Jägern versteckt gehalten hat, und nimmt deine Fährte auf. Dort draußen wartet kein Ausweg.«

»David hat recht. Wir müssen uns einfach ein paar Tage gedulden. Immerhin haben wir es versucht.«

»Dann lasst es uns morgen erneut probieren!«, bat Elisa. »Mir wird bestimmt noch etwas einfallen.«

»Abgemacht«, sagte David und sie reichten einander die Hand.

Cyril hatte für die beiden ein Kopfschütteln übrig, einen Mundwinkel zog er dennoch empor. »Lasst uns gehen, wenn nun euer Pakt besiegelt ist. Oder möchtet ihr noch in die Hände spucken?«

Die drei setzten sich zu den anderen Gästen an den großen Tisch im Gemeinschaftsraum, die gerade ihr Frühstück zu sich nahmen. Selbst Conrad war bereits erwacht und zugegen.

»Keinen Erfolg gehabt?«, wollte Joseph in morgenmuffeligem Tonfall wissen.

Theresia blickte hoffnungsvoll auf. Ihr bekam die Hochzeitsreise samt Einsperrung in keiner Weise. Mehr noch als am vorherigen Tag wirkte sie durcheinander, was nicht nur an ihrer wirren Frisur, sondern auch an ihrem unsteten Blick zu erkennen war.

»Nein, aber wir haben wenigstens etwas unternommen, anstatt in unseren warmen Betten zu schlafen«, knurrte Cyril zurück.

»Wenn kein Resultat vorliegt, sind die zuvor betriebenen Mühen nichtig.« Joseph warf seine Serviette auf das halb verzehrte Frühstück auf seinem Teller.

Wendelin trat aus der Küche. Bestürzung spiegelte sich in seinen Zügen, als er die beiden streitenden Gäste beobachtete.

Cyrils Gesicht wurde rot, seine Augenbrauen zogen sich zu einer harten Linie zusammen und er rief: »Was für ein Schwachsinn!«

Mit hochgezogenen Augenbrauen und einem zu einem stillen »oh« gezogenen Mund schaute Elisa vom einen zum anderen. Irgendetwas war ihr entgangen. Vielleicht waren die beiden aneinandergeraten, bevor sie angekommen war? Immerhin war sie als Letzte im Waldgasthof eingetroffen.

Wendelin wagte einen Versuch, den Streit beizulegen: »Meine Herren, ich bitte euch, Ruhe zu bewahren. Wir sind gemeinsam unter diesem Dach gefangen, das erhitzt die Gemüter leicht. Bitte beherrschen Sie sich.« Elisa fiel auf, dass er sich mit der Anrede seiner Gäste unsicher war, und schloss daraus, dass auch er selbst nicht mehr ganz so ruhig sein konnte.

Joseph schob seinen Teller von sich, bevor er aber etwas Unflätiges erwidern konnte, legte Theresia ihre Hand auf sein Bein und entschuldigte sich. »Wir haben beide heute Nacht sehr schlecht geschlafen. Ich bitte um Verzeihung, es ist nicht so einfach zu wissen, dass man einen Ort nicht nach Gutdünken verlassen kann. Wir hätten unsere Hochzeitsreise für die nächsten acht Tage zwar ohnehin hier verbracht, aber die Situation hat sich von Grund auf verändert.«

»Hat sich einmal jemand gefragt, was wir tun könnten, wenn ein Feuer ausbräche?« Nach einer Pause, in der Josef die Aufmerksamkeit aller ringsum augenscheinlich genoss, gab er sich selbst die Antwort: »Nichts. Wir können nichts tun, außer verbrennen. Und das ist nur ein Szenario, das uns zum Verhängnis werden könnte. Soll ich weitere zeichnen?« Für Elisa stand fest, dass Theresia es über Nacht geschafft hatte, einen Teil ihrer Furcht auf ihren Gatten zu übertragen, auch wenn Joseph dies hinter Zorn zu verbergen versuchte.

»Wie wäre es mit einem Kartenspiel?«, fragte Maria abrupt, ergriff einen Stapel Spielkarten und mischte sie mit geübten Handgriffen. »Kennt ihr alle Whist?« Als nähme sie die betretene Stille nicht wahr, verteilte sie die Spielkarten.

Theresia war die Erste, die es nicht länger aushielt, und nahm ihr Blatt auf, womit sie scheinbar etwas Neues gefunden hatte, an dem sie sich festklammern konnte. Die Übrigen folgten nach und nach ihrem Beispiel und nahmen die Karten auf.

Elisa hätte viel gegeben, jetzt einen Spaziergang an der Luft unternehmen zu können. Der Gedanke, dass sie alle ersticken konnten, war ihr bereits gekommen. Aber abgesehen von der ein wenig stickigen Luft bereitete das Atmen trotz der dicken Schneedecke niemandem hier

Probleme. Schicksalsergeben griff aber auch sie nach ihren Spielkarten, denn in Panik zu verfallen war keine Option für sie. Wenn sie sich erst auszumalen begann, was alles geschehen konnte, würde sie wahnsinnig werden. Generell fand sie die Idee, zum Zeitvertreib Karten zu spielen, gar nicht schlecht. Was sonst hätten sie mit ihrer Zeit anfangen sollen? Nach Lesen war Elisa zum ersten Mal seit ihrer Verlobungszeit nicht zumute. Gegen die eine oder andere Runde Whist sprach für sie nichts.

Der Vormittag ging in den Nachmittag über und eine Kartenpartie wechselte die andere ab. Alle waren wieder guter Stimmung, da das Glück jedem einmal hold war und sich in verschiedenen Spielen jeweils jemand anderes hervortat.

»Zeit für meinen Selbstgebrannten, will ich meinen«, sagte Wendelin, nachdem er als Erster ausgeschieden war und seine Karten auf den Tisch legen musste. Er schob seinen Stuhl bereits zurück, da wurde Einspruch laut.

»Ich will meinen«, sagte Cyril, »dass du deinen Selbstgebrannten besser dort lässt, wo er sich momentan befindet: im Schrank.«

Conrad nickte. »Da stimme ich Cyril zu. Bitte verschone uns. So gut er mundet, so mörderisch können die Kopfschmerzen werden. Ich hatte schon genug davon in meinem Leben, danke sehr, ich verzichte.«

Wendelin setzte sich sprachlos. Als könnte ihm Maria seine Mitmenschen erklären, warf er seiner Frau hilflose Blicke zu.

Am Abend des eher ereignislosen Tages hatten sich die Gäste des Waldgasthofs, als die Finger vom Kartenspiel beinahe wund waren, erneut zu einer gemütlichen Runde am Kamin zusammengefunden. Elisa saß tief in ihrem Lehnsessel und genoss die Wärme, die das Feuer verströmte. Sie fühlte sich entwurzelt und gleichzeitig eins mit sich selbst. Irgendwie war es angenehm, das alte Leben so weit entfernt zu wissen. Hier konnte sie ein neuer Mensch sein. Vorherige Kümmernisse oder Verpflichtungen spielten keine Rolle, da sie ihnen hier, in ihrem Exil, sowieso nicht nachkommen konnte. Sie verstand nun Wendelins Kommentar am Morgen, dass die Schneedecke über dem Waldgasthof etwas Friedliches mit sich brachte. Gewissermaßen hatte ihre Gefangenschaft sie befreit. Als sie darüber nachdachte, wurde ihr gleichzeitig warm und kalt. Wie konnte es sein, dass sie ihr alltägliches Leben so wenig zu schätzen wusste, dass sie diese Umstände als Befreiung ansah? Sie konnte sich durchaus glücklich schätzen mit dem, was sie hatte. Immerhin lebte sie ein geregeltes Leben, ihr Ehemann besaß reichlich Geld, sie selbst genoss durch ihre Zeitungartikel sogar einige Privilegien. Dennoch gab es einiges, das sie sich anders gewünscht hatte, als sie jünger gewesen war. Eine Liebesheirat wäre schön gewesen. Eine richtige Familie mit vielen Kindern. Und vielleicht auch Reisen in weit entfernte Länder. Und eventuell …

»Woran denkst du denn gerade?«, unterbrach Maria ihre Grübelei. »Ich kann nicht sagen, ob du glücklich oder unglücklich dreinschaust.«

»Alles und nichts«, antwortete Elisa vage.

Maria klopfte ihr auf die Schulter und schlenderte zum Kamin, wo sie mit dem Schürhaken im Feuer herumstocherte.

Elisa driftete bereits zurück in die Welt ihrer Gedanken, als ein heftiger Schmerz in ihre Ohren stach. Erst als ihre Hände sich schon auf ihre Ohren pressten, wurde ihr bewusst, was vor sich ging: Es ertönte dasselbe ächzende Kreischen wie am vorherigen Abend. Selbst nach einigen Sekunden dauerte es noch an. Elisa hielt sich weiterhin die Ohren zu, sie konnte es kaum ertragen. Es war, als bohrte sich die spitze Klinge des Stilett-Mörders in ihrem Schädel. Die Schmerzen nahmen ihr schier die Sicht. Elisa kniff die Augen zusammen und stellte fest, dass auch die anderen sich die Hände an die Köpfe gelegt hatten.

Als das Geräusch verklang und in drückender Stille nachhallte, begannen die Wände zu beben. Elisa hörte Scheiben klirren, spürte, wie der Lehnsessel, auf dem sie saß, vibrierte. Die Gesichter ringsum spiegelten ihr eigenes Entsetzen. Sie ließ die Hände von ihrem gemarterten Kopf gleiten und krallte die Finger in das Polster des Sessels, als hinge sie an einer Klippe und müsste sich, um ihr Leben kämpfend, festhalten.

Das war definitiv nicht normal. Elisa musste zwar noch nie zuvor ein Erdbeben am eigenen Leib erdulden, aber so hatte sie sich das nicht vorgestellt. Das Gerüttel wirkte oberflächlich und nicht, als würde es aus der Tiefe des Erdbodens stammen.

Die Vibrationen verebbten leicht und gingen in ein sanftes Rumpeln über. Aus den Augenwinkeln stellte Elisa aber fest, dass es noch nicht vorbei war: Auf den Fensterscheiben, hinter denen die verschlossenen Läden kaum auszumachen waren, breiteten sich weißliche Flecken aus, als würde jemand dagegen atmen. Nach und nach beschlugen alle Scheiben um sie herum. Das Feuchtigkeitsmuster, das entstand, blieb in Bewegung, denn es sah aus, als würden tausend kleine, weit aufgerissene Münder sich die Seelen aus dem Leib schreien, die an immer neuen Stellen erschienen, wenn andere verschwanden. Als würde Elisa im stummen Chor ein gemeinsames Lied mit diesen Mündern singen, öffneten sich vor Entsetzen auch ihre eigenen Lippen. Ihre Kehle war zu sehr zugeschnürt, als dass sie einen Ton hätte von sich geben können. Vom Unglauben an diese Erscheinung gelähmt, gelang es ihrem Gehirn nicht, eine rationale Lösung für diesen Vorgang zu finden.

Langsam beruhigte sich alles, das Beben und der Beschlag auf den Scheiben vergingen. Nichts gab schließlich einen Hinweis auf das unheimliche Vorkommnis, außer einer zerbrochenen Teetasse auf dem Boden. Elisa schloss ihren Mund und biss sich auf die Zunge. Sie musste in die Realität zurückkommen und wollte ihre Angst abschütteln.

David zeigte auf das zerstörte Stück Keramik und sagte: »Das hätte ich gerne noch getrunken.«

Niemand ging auf seinen Scherz ein.

Conrad stellte sich auf. Er schlug die Hände vor seiner Stirn zusammen. »Das ist ja nicht zu fassen!«, stieß er seine Stimme dröhnend durch die angespannte Stille. »Ihr sitzt noch seelenruhig hier? Ist euch denn nicht klar, was uns allen droht? Ihr seid doch alle verblendet! Hockt gemütlich da und macht nichts, außer großen Augen. Aber was sollte man auch tun gegen einen Geist?«

»Einen Geist? Conrad, mach dich nicht lächerlich«, entgegnete Joseph gelassen. Elisa selbst hätte keinen Ton herausgebracht. Sie rutschte tiefer in den Sessel.

»Bei uns in England und gerade im nördlichen Schottland, da spukt es an jeder Ecke«, goss Cyril Öl ins Feuer. Sein Blick huschte durch die Runde.

»Gespenster? Das kann nicht euer Ernst sein! Joseph, ich komme gleich um vor Angst. Mein Herz, es schafft die Anstrengung gleich nicht mehr, weiterzuschlagen«, rief Theresia aus. Als Elisas Augenmerk auf die junge Frau fiel, schnappte sie erschüttert nach Luft. Selbst einem Toten hätte sie eine gesündere Gesichtsfarbe zugetraut als das grabeskalte Weiß, das auf Theresias Wangen lag.

Wendelin beschied ihnen in vehementem Tonfall: »Wir sollten vernünftig bleiben. Das ist bestimmt alles ganz einfach zu erklären.« Sein blasses Gesicht strafte seine Worte Lügen.

Wovor hat er Angst?, fragte sich Elisa.

»Ihr macht es euch zu leicht, wenn ihr mich als Wahnsinnigen darstellt«, verteidigte sich Conrad. Einige seiner Haare standen ihm wirr von Kopf, während seine viel zu weite Kleidung ihm unordentlich vom Körper hing, was für Elisa dem Bild eines Irren sehr nahe kam. »Wendelin, Maria, ihr müsst doch wissen, was in eurem eigenen Gasthof vor sich geht! Wenn selbst ich es als Fremder nach kürzester Zeit bemerke …« Conrad lief mit vor Zorn verkniffenen Augen auf Maria zu, die vor ihm zurückwich und sich hinter ihrem Ehemann verbarg. Conrad schüttelte den Kopf. »Du hast Angst? Vor mir? Nicht vor diesem Gespenst oder was auch immer hier spukt?« Conrad drehte sich um und griff nach Theresia, der ersten Person, derer er habhaft wurde. Ihr spitzer Aufschrei ging seiner Frage voran: »Wie sieht es mit dir aus, fürchtest du dich ebenfalls vor mir?«

Theresia biss ich auf die ohnehin schon blutleeren Lippen, schüttelte aber tapfer ihren Kopf. An Conrads Hand konnte Elisa sehen, dass sein Griff um ihren Arm fester wurde, woraufhin Theresia ihre Faust vor Schmerzen ballte. Neben ihr stand Joseph auf und blickte verärgert, aber zugleich unschlüssig von seiner Gattin zu Conrad und wieder zurück.

Conrad sprach unbeirrt weiter: »Und wenn ich dir keine Angst einjage, schafft das dann der Geist?«

Theresia brach in Tränen aus. Sie schüttelte den Kopf und nickte gleichzeitig dazu. *Das arme Ding ist völlig überfordert,* dachte Elisa und hoffte, dass Joseph endlich handelte. Schluchzend schaute Theresia zu ihrem Mann.

Joseph sagte endlich: »Conrad, es ist gut jetzt. Lass meine Frau los.«

»Gut?«, fragte Conrad schrill und machte seiner Empörung Luft. Dabei ließ er Theresia los, die sich erschüttert auf ihren Sessel fallen ließ und mit den Armen ihren Oberkörper umschlang. »Gut? Gar nichts ist hier gut«, zeterte Conrad wütend weiter. »Bin ich denn der Einzige, der klar sieht? Wir schweben allesamt in Todesgefahr und können ihr nicht entrinnen. Und was macht ihr? Ihr verschließt alle die Augen davor. Es ist zum Verrücktwerden!« Conrad drehte sich erneut zu Theresia, die sofort wie ein scheues Reh die Treppe hinaufeilte, bevor sie erneut geschnappt werden konnte.

»Sie wird sich schlafen legen«, kommentierte Joseph. Er zog den Kopf ein und steckte die Hände in die Hosentaschen.

Elisa konnte kaum glauben, was binnen weniger Momente aus der netten kleinen Gruppe geworden war, die soeben noch Karten gespielt hatte. »Willst du nicht nach deiner Frau sehen?«, fragte sie Joseph. Ihr war die Ehe der beiden liebevoll erschienen, umso mehr wunderte es sie, dass er sitzen blieb.

Joseph winkte ab. »Ach, sie wird sich schon fangen. Ist ja nichts geschehen.«

»Dann gehe ich zu ihr. Von Frau zu Frau zu sprechen bringt ohnehin mehr.« Elisa erklomm ebenfalls die Treppe. Auf gewisse Weise war sie froh, der Gegenwart der anderen zu entkommen. Allerdings hätte sie auch gerne mitbekommen, was nun als Nächstes geschehen würde. Was würden die die Gasthofbesitzer und die Engländer zu Conrads Ausbruch sagen? Und wie würden sie sich alle gegenüber Joseph verhalten, der alles andere als heroisch seine Ehefrau verteidigt hatte?

Elisa klopfte an Theresias Tür, hinter der es vollkommen still war, und bekam sogleich eine Antwort: »Wer ist da? … Nein, Elisa, ich möchte nicht herauskommen.«

»Lässt du mich dann zu dir hereinkommen, Theresia? Ich würde gerne mit dir reden.«

»Moment, ich sperre dir die Tür auf. Aber bist du auch alleine?«

Elisa bejahte und fragte: »Weshalb möchtest du nicht bei uns unten bleiben, Theresia?« Sie trat ein und schaute sich kurz um. Die Möbel in diesem Zimmer waren ebenso verschlissen wie bei ihr. Das Bett war allerdings größer und es gab mehr Platz. Beide setzten sich.

»Elisa, ich fürchte mich vor Conrad und dem, was noch dort unten geschehen mag. Wir kennen uns alle nicht. Wir sind in dieser Gefangenschaft einander ausgeliefert, mit der ich an sich schon kaum zurechtkomme, wie du bemerkt haben wirst. Ich möchte den anderen – und damit den Problemen – lieber aus dem Weg gehen.« Theresia versicherte sich mit einem tiefen Blick in Elisas Augen ihrer Aufmerksamkeit und fuhr fort: »Ich glaube, ich weiß, wie das hier ablaufen wird: Zuerst gibt es Streit aufgrund von Nichtigkeiten. Das ist bereits geschehen. Es bilden sich gegnerische Parteien, die Uneinigkeit vertieft sich. Es kommt zu Schuldzuweisungen, Misstrauen und dergleichen. Muss ich weiterreden? Am Ende stehen jedenfalls Mord und Totschlag. Ich halte mich da heraus und hoffe, dass sich Joseph mir anschließen wird. Und dir rate ich, dasselbe zu tun. Geh auf dein Zimmer und lies ein paar Bücher, bis der Schnee taut. Zeit mit einem selbst kann man gut gebrauchen.«

»Das halte ich für etwas übertrieben. Komm wieder mit hinunter und hilf mir, den Streit zu schlichten. Wir sind alle erwachsen, wir reißen uns am Riemen und benehmen uns freundlich.«

»Danke, Elisa, aber du verschwendest hier deinen Atem. Meine Entscheidung ist getroffen, ich bleibe hier oben. Es wäre nett von dir, wenn du Maria ausrichtest, dass ich mein Essen hier auf meinem Zimmer zu mir nehme. Bitte sie, alleine zu kommen, sonst öffne ich die Tür nicht.«

Elisa nestelte an ihrem Ärmel herum. Es behagte ihr nicht, dass Theresia sich zurückzog. Eigenbrötlerei konnte ihr in dieser Situation nicht wohl bekommen. »Darf ich dich besuchen kommen?«, wollte sie daher wissen.

»Lass uns einmal abwarten, wie sich die Situation entwickelt.« Theresia wünschte Elisa eine gute Nacht.

Kaum war Elisa die letzte Treppenstufe wieder hinabgestiegen, fiel ihr sofort auf, dass inzwischen auch Conrad fehlte. Sie erkundigte sich nach ihm und bekam von Joseph zur Antwort, dass Conrad auf allgemeinen Wunsch hin zu Bett gegangen sei. Seine Genugtuung konnte er nicht verbergen, so selbstgefällig war seine Mimik.

»Morgen sieht die Welt schon wieder anders aus«, gab Maria mit betont guter Laune von sich.

Wendelin sprang darauf an und meinte dazu: »Jaja, ein bisschen Schlaf rückt einem den Kopf wieder zurecht. Und vielleicht beginnt der Schnee zu schmelzen und wir sind bald alle wieder frei. Bleibt nur guten Mutes, so einen Schneesturm haben und hier eingeschlossen zu sein haben wir bereits etliche Male überstanden. Zu Hause könnt ihr euren Lieben erzählen, was ihr erlebt habt.«

»Stimmt«, nickte Maria euphorisch. »Und du hast ihnen noch nichts vom Huber erzählt. Das ist ein Bauer im Umland. Wendelin und er wetten manchmal, dass sich die Balken biegen. Einmal musste ich als Wettstrafe drei Tage für den Huber kochen, *waisch noo*, Wendelin? Wenn wir zu lange nichts von uns hören lassen, wird der schon nach dem Rechten schauen kommen.«

Elisa kaufte den beiden ihre Heiterkeit nicht einmal ansatzweise ab, aber sie waren die Gastgeber, da galt es, schlechte Stimmung zu vermeiden. Nichtsdestotrotz war für sie der Abend gelaufen. Sie wollte mehr denn je hinaus aus diesem Waldgasthof und hatte das Gefühl, als würden die Wände Stunde um Stunde näherrücken.

Lange hielt Elisa es nicht mehr bei den anderen aus. Sie verabschiedete sich und wünschte allseits eine geruhsame Nacht. Elisa stieg die Treppe hinauf und hörte Cyril noch flüstern: »Ob sie sich ebenfalls in ihrem Zimmer verbarrikadiert?«

Bevor sich Elisa zu Bett legte, versuchte sie erneut ihre Fensterläden zu öffnen. Leider bewegte sich nichts und sie mühte sich vergebens damit ab. *Es muss ein Entrinnen geben!*, dachte sie. *Niemand lässt sich immer wieder einschneien, ohne dass es zur Not einen Fluchtweg gibt, oder? Und wie kann eigentlich so viel Schnee liegen, dass die Läden sich nicht mehr öffnen lassen? So breit ist das Fensterbrett ja auch nicht. Aber würden Wendelin und Maria überhaupt die Wahrheit sprechen, wenn man sie nach all dem fragt?*

Dieser Gedanke verfolgte Elisa bis in ihren Schlaf und sie träumte davon, den Weg durch einen Irrgarten aus Schnee finden zu müssen. Die weißen Wände türmten sich schier bis hinauf in den grauen Himmel und Elisa fühlte sich winzig klein. Sie rieb sich die Hände, obwohl sie keine Kälte spürte, und lief planlos umher. Immer wieder huschten Gestalten herbei, die die Wege des Labyrinths unpassierbar machten, indem sie eine Mauer aus Schnee vor ihr errichteten, sodass es für Elisa kein Entkommen gab. Langsam rieselte Schnee der Labyrinthwände auf die Wege und bald musste sie durch knie-, dann durch hüfthohen Schnee stapfen. Elisa kämpfte, doch bald gab es kein Vorankommen mehr. Sie war gezwungen zuzusehen, wie der Schnee sie nach und nach begrub. Von irgendwoher streckte ihr eine schattenhafte Gestalt eine Hand entgegen, doch sie schlug die vermeintlich rettende Hand aus. Elisa ergriff sie nicht, sondern ließ sich lieber vom Meer todbringender Schneeflocken ertränken.

Keuchend wachte sie auf, drehte sich herum und träumte einen anderen Albtraum.

3. Tag

4. Kapitel

Am nächsten Morgen, dem Beginn ihres dritten Tages im Schnee-Inklusorium, kam Elisa als Letzte zum Frühstück. Sie fühlte sich kraftlos und wäre am liebsten im Bett liegen geblieben, konnte sich schließlich aber doch aufraffen. Die Luft im Gasthof kam ihr stickig und verbraucht vor. Es war ihr von Beginn an klar, dass dies kein guter Tag werden würde.

Mit Theresias Erscheinen war nicht zu rechnen, ansonsten unterschied sich kaum etwas von der vorherigen Zeit im Waldgasthof. Conrad schaute zwar noch mürrischer als zuvor drein, sein Brummbart wirkte dichter, aber ansonsten verhielt er sich recht still und durchaus höflich.

Die Stunden nach ihrem späten Frühstück verbrachte Elisa überwiegend mit Cyril und David, mit denen sie bizarre Fluchtpläne schmiedete. Sie fühlte sich in der Gesellschaft der humorvollen Engländer wohl und zögerte nicht, ihre Ideen vorzubringen, seien sie auch noch so abstrus. Zwischen ihnen entwickelte es sich allmählich zum Wettkampf, wer den abenteuerlichsten Einfall hatte, wie man sich einen Weg in die Freiheit bahnen könnte. Ihr war alles recht, um sich von ihrer Gefangenschaft in diesem unheimlichen Waldgasthof abzulenken.

»Und wenn dann die Scheibe eingeschlagen ist, verteilen wir Löffel und wir essen uns in die Freiheit. Wenn jeder genügend Schnee …«, scherzte David, unterbrach sich aber, als er Elisas Miene gewahr wurde.

Elisa wollte nicht ganz auf die humoristische Seite hinüberdriften, wie es die beiden Männer getan hatten. Sie versuchte noch immer Ansätze zu ersinnen, die eventuell in die Tat umgesetzt werden konnten. Sie nestelte an den Ärmeln ihres kornblumenblauen Kleides herum, das sie erneut trug, da sie nicht ihre Reisekiste auspacken und damit einen längeren Aufenthalt hier vor sich selbst eingestehen wollte. Sie schlug vor: »Und wenn wir ein größeres Feuer im Kamin entzünden? Sodass wir den Schnee langsam von hier innen wegschmelzen. Wenn die Raumtemperatur hoch genug wäre, könnte das bestimmt klappen.«

Zwar schaute Cyril wie ein Frosch, was durch seine weit auseinanderliegenden Augen öfter einmal vorkam, aber David erklärte ihr mit einem Zwinkern: »Damit wir diese Schneedecke wegschmelzen, die uns zur ihren Gefangenen macht, müssten wir den gesamten Gasthof niederbrennen. Und bevor du ein Lagerfeuer vor der Tür vorschlägst – das würde Wendelin kaum gutheißen.«

Für diese Neckerei nahm Elisa einen Kerzenstumpf vom Tisch vor sich und warf ihn David entgegen. Sie hatte auf seine linke Schulter gezielt, aber David fing das Wurfgeschoß auf und grinste sie mit heraufgezogenen Augenbrauen an. Kurz schaute sie sich um, fand aber nichts, das sie, seiner stummen Aufforderung folgend, hinterher hätte werfen können.

Ihr Spiel fand damit ein jähes Ende. Zur Untätigkeit verdammt, verging Elisa die Zeit langsam und sie versank hin und wieder in Gedanken.

Am späten Nachmittag dachte Elisa gerade darüber nach, wie anders ihr Leben wohl verlaufen wäre, wenn ihr Vater einen anderen Gatten für sie ausgewählt hätte. Oder was nötig gewesen wäre, um sogar bis heute unverheiratet zu bleiben. Die Gedanken schwirrten ihr durch den Kopf wie ein verrückt gewordener Vogelschwarm. Elisa saß auf einer harten Bank und vermeinte jeden ihrer Knochen zu spüren. Mühsam setzte sie sich auf, streckte ihre Glieder und stellte fest, dass Maria, die ihr gegenübersaß, mit ihrer Strickarbeit ein gutes Stück weitergekommen war. Sie ließ den Blick durch den Raum gleiten und sah, dass Conrad und Cyril miteinander flüsterten. Kurz darauf standen die beiden Männer auf und verschwanden aus ihrem Sichtfeld. Was sie auszuhecken vermochten, konnte Elisa sich nicht ausmalen. Sie hätte zumindest ihr Abendessen dafür gegeben, es sogleich zu erfahren.

Elisa ließ sich noch ein wenig von Marias gleichmäßigen Stricknadelbewegungen einlullen, da kam Cyril zurück und setzte sich vor das Kaminfeuer, wo er seine Hände knetete. Seine Bewegungen erinnerten Elisa an die Köchin, die über einen zähen Hefeteig gebeugt vor sich hin schimpfte.

Cyril machte auf Elisa einen verlorenen Eindruck, weshalb sie sich zu ihm setzte und ein Gespräch suchte: »Wo hast du denn den Conrad gelassen?« Sie nahm unaufgeforderterweise neben ihm Platz und streckte ihre Beine aus.

»Conrad?«, fragte Cyril und machte wieder sein Froschgesicht. Elisa bemerkte, dass ihm Schweiß auf der Stirn stand und seine Gesichtshaut blasser war, als es selbst einem Engländer zustand.

»Na, du weißt schon. Etwas älterer Herr. Graues Haar. Murmelt gerne in seinen Bart. Meistens nicht allzu guter Stimmung. ›Gefahr! Gefahr!‹, kündete er gestern. Den meine ich.«

»Ich weiß, wer Conrad ist! Ich habe aber keine Ahnung, wo er sich aufhält. Wieso sollte ich? Sehe ich aus wie seine Kinderfrau?«

»Ihr seid vor wenigen Minuten gemeinsam so geheimnistuerisch verschwunden. Da solltest du es doch wissen. Bist ja noch nicht alt und vergesslich.«

»Elisa, ich muss dir etwas sagen. «

Cyrils Verhalten war Elisa nicht mehr geheuer. Sie beugte sich dennoch näher zu ihm heran, damit sie ihn besser verstand, da er immer leiser sprach. Sie nickte ihm aufmunternd zu.

»Ich erinnere mich nicht.«

»An das, was du mir sagen wolltest?«

»Nein!«, erwiderte Cyril etwas forsch. Er fasste sich an seine Nasenwurzel und fügte wieder ruhiger hinzu: »Ich erinnere mich nicht, was ich in den letzten ein oder zwei Stunden getan habe. Mir fehlt die Zeit einfach. Im einen Moment war ich noch mit David zusammen und im nächsten Moment sitze ich hier vor dem Feuer. Bestimmt verliere ich den Verstand. Ich bin nicht dazu geschaffen, eingesperrt zu sein.«

»Du hast wirklich keine Ahnung, dass du gerade noch mit Conrad gesprochen hast? Und was davor geschehen ist?«

Cyril schüttelte den Kopf und schloss die Augen. Sein Kinn ließ er auf die Brust sacken. Er saß einige Zeit so da, sodass Elisa bereits dachte, er sei eingeschlafen, da fuhr er ruckartig hoch. »Was hast du alles davon gesehen, was ich getan habe?«

Elisa berichtete ihm, was sie mitbekommen hatte. Einschließlich seines Verschwindens mit Conrad. »Wo er wohl steckt?«, fragte sie abschließend. Als Elisa sich umschaute, stellte sie fest, dass Maria und Wendelin näher herangerückt waren. David hatte sich ebenfalls zu ihnen gesetzt.

Nun mischte sich auch Joseph ein, der ihrem Gespräch still gefolgt war. »Cyril, du wirst ihn doch nicht um die Ecke gebracht haben? So verwirrt, wie du bist. Und Conrad so plötzlich verschwunden!« Lachend schlug er sich auf den Oberschenkel. »Endlich ist hier wieder etwas los. Ich sollte Theresia holen, damit sie den Spaß nicht verpasst.«

»Sollen wir nach Conrad suchen?«, fragte Elisa. Es war weniger Conrads Verbleib, der sie besorgte, als vielmehr Davids Blick. Er sah aus, als würde er Joseph gleich einen Kinnhaken geben. Nach den Auseinandersetzungen des letzten Abends war es Elisa bedeutend lieber, wenn der Frieden gewahrt bliebe.

Wendelin winkte ab. In solchen Belangen hatte er als Besitzer des Waldgasthofes eine gewisse Autorität. »Der Conrad wird sich in seinem Zimmer ausruhen. War heute früh auf den Beinen und er ist ja auch nicht mehr der Jüngste.« Ein feines Bächlein Schweiß rann ihm von der Schläfe über die Wange bis hinunter in den Kragen und strafte seine Gelassenheit Lügen.

Elisa hätte gerne widersprochen, traute sich jedoch nicht, als Erste und Einzige darauf zu beharren, Conrads Verbleib ausfindig zu machen. *Vielleicht ist es ja besser, wenn er ein wenig seine Ruhe vor uns allen hat, sonst wäre er ja hier,* verfiel sie in eine kleine Grübelei.

Damit war das Thema abrupt erledigt, aber vor allem hatte sich Davids Gemüt sichtlich beruhigt. Elisa beobachtete ihn, während er seinen stillen und in sich gekehrten Freund betrachtete. Joseph war seiner Tracht Prügel entgangen.

»Ich würde sagen, dass uns allen eine Schüssel heißer Eintopf wohl bekommt. Ich gehe ihn eben aufwärmen«, sagte Maria und verschwand in die Küche. Elisas wie auf ein Stichwort grummelnder Magen gab der Gasthoffrau recht.

Elisa wusste einen Kniff, den sie versuchen wollte: »Joseph, so wie du immer nach oben schaust, willst du bestimmt bei deiner frisch Angetrauten speisen. Ich denke, ich spreche für uns alle, wenn ich sage, dass das nur allzu verständlich ist. Wir wollen euer neues Liebesglück nicht stören. Ich kann den übrigen Herren nur raten, sich ein Beispiel an Joseph zu nehmen. So fürsorglich sollten alle Herren ihrer Gemahlin gegenüber sein.«

Joseph konnte dazu nicht viel sagen, außer, dass er ihr dankte. Mit zwei dampfenden Schüsseln und einem großen Kanten Brot ging er alsdann zu seiner Gattin hinauf, nicht ohne hin und wieder einen Blick über die Schulter zu werfen und dabei beinahe das Gleichgewicht mit Marias üblich übervollen Eintopfschüsseln zu verlieren.

Kaum war Joseph seines Weges gegangen, da fragte David sie: »Was war das denn? Du hast ihn seines Unwillens zum Trotz hinauf zu seiner Frau geschickt, ohne dass er ein Widerwort wagte. So etwas hätte ich dir gar nicht zugetraut. Weshalb wolltest du ihn loswerden?«

Elisa erklärte sich: »Ich habe dem Frieden nicht getraut. Ich wollte keinen neuerlichen Streit aufkommen lassen und du, David, hast allzu oft deine Hand zur Faust geballt. Da dachte ich, dass ich präventiv besser Joseph hinaufschicke, bevor er wieder vorlaut wird. Außerdem wird Theresia sich freuen, wenn sie nicht erneut ihr Mahl alleine zu sich nehmen muss. Mich wundert es sowieso, dass er so wenig Zeit mit ihr verbringt.« Elisa fühlte ihre Wangen heiß werden, als alle in Gelächter ausbrachen. Kleinlaut fügte sie »So meinte ich das wirklich nicht« hinzu.

Kurze Zeit später hatten sich alle wieder beruhigt und löffelten ihren Eintopf. Wendelin wandte sich mit vollem Mund an seine Frau und fragte: »Hast du dem Conrad eigentlich eine Portion hinaufgebracht?«

Maria fasste sich theatralisch an den Kopf. »Wendelin, du hast recht. *Gopferdori*, das habe ich völlig vergessen«, sagte sie, stand auf und eilte in die Küche, um Conrads Schüssel zu füllen. Schleunigst lief sie die Treppe hinauf und verschwand aus Elisas Sichtfeld.

»Weißt du noch, als wir eine Nacht in der Zelle im Zuchthaus verbringen mussten? Da gab es einen ähnlichen, wenn auch längst nicht so schmackhaften Eintopf«, erinnerte David seinen Freund.

Cyril nickte und erzählte Elisa und Wendelin von einigen Eskapaden, die sie in Dresden erlebt hatten. Elisa lauschte den beiden Engländern gebannt und wünschte sich in diesem Moment, selbst als Junge auf die Welt gekommen zu sein und solche Abenteuer durchgemacht zu haben. Obwohl die beiden kaum älter waren als sie, hatten sie unheimlich viel erlebt, was sie von sich selbst nicht sagen konnte.

Als Maria zurückkam, schenkte sie ihr zunächst kaum Aufmerksamkeit, sondern ließ die von David und Cyril beschriebenen Bilder vor ihrem inneren Auge entstehen. Die beiden konnten erzählen, dass Elisa das Gefühl hatte, mit von der Partie gewesen zu sein. Aus dem Augenwinkel bekam sie allerdings mit, wie starr Maria vor ihrem Teller saß. Sie löste sich von den Erlebnissen der Engländer, mimte aber weiterhin uneingeschränkte Aufmerksamkeit.

Heimlich beobachtete Elisa Maria und Wendelin und wurde Zeuge eines stillen Dialogs, der ihr Rätsel aufgab. Maria nahm Wendelin mit ihrem Blick gefangen, denn sie forderte so offensichtlich seine Aufmerksamkeit. Daraufhin zog er einmal kurz die Augenbrauen nach oben und sein gesamter Körper verspannte sich. Zur Antwort bekam er ein knappes, angedeutetes Nicken seiner Gattin. Danach löffelten beide ihren Eintopf, als sei nichts geschehen.

Elisa fiel auf, dass Maria das für Conrad gedachte Essen wieder mit heruntergebracht hatte. Es stand unberührt am Ende der Tafel. Als Cyril eine seiner Episoden gerade beendet hatte, deutete Elisa mit einer kleinen Bewegung mit dem Kinn in Richtung der Eintopfschüssel und fragte: »Wollte Conrad nichts essen?«

»Ich glaube, er hat mich nicht klopfen hören«, antwortete Maria mit roten Wangen.

Ob sie sich Vorwürfe macht, ihren Gast nicht gut genug zu verköstigen?, fragte sich Elisa und glaubte selbst nicht ganz daran. Doch welchen anderen Grund mochte es für das seltsame Verhalten der Gasthofbesitzer geben?

Wendelin fügte hinzu: »Wenn er so tief schläft, dass er dein Klopfen nicht hört, wird ihn der Hunger auch nicht wecken können.«

Cyril war nach dem Schrecken seiner Gedächtnislosigkeit wohl zurück in Gesprächslaune. Er riet Maria: »Du kannst ihm seine Schüssel ja beiseitestellen. Wenn ihn der Hunger doch noch überfällt, kann er sich auch heute Nacht noch daran bedienen. Dein wunderbares Essen ist bestimmt auch kalt äußerst schmackhaft.«

Elisa schaute gedankenversunken zur Treppe hinauf. *Was, wenn Conrads Zimmer leer ist? Wenn er gar nicht darin ist und deshalb Marias Klopfen nicht hören konnte? Wo könnte er dann sein?* Für Elisa stand fest, dass ihr etwas entging. Was das war, das wollte sie unbedingt feststellen und dabei so wenig Zeit wie möglich verlieren. Einerseits schalt sie sich für das sachte Misstrauen diesen netten Menschen gegenüber, aber andererseits war zu einem Zeitpunkt, den sie selbst nicht benennen konnte, eine Art Instinkt wach geworden, der sie dazu veranlasste, das Geschehen zu hinterfragen.

Der bereits verspeiste Teil des Abendessens lag Elisa schwer im Bauch, waren die Häppchen, die sie verzehrt hatte, auch so klein gewesen, dass auch ein Vögelchen sich daran hätte gütlich getan haben können. Die anderen an der Tafel hatten ihre Teller bereits geleert und saßen zufrieden auf ihren Stühlen. Sie hatte das Gefühl, bald eine Antwort finden zu können, wenn sie nur genügend darüber nachdachte, was im Gasthof und im Verhalten von Maria und Wendelin nicht stimmte. Elisa wurde aber jäh aus ihren

Überlegungen gerissen, als sie zuerst eine Tür laut zuschlagen hörte und anschließend Joseph fluchend die Treppe hinunter eilte. Auf der vorletzten Stufe stolperte er und konnte sich gerade noch auf den Beinen halten. Erschrocken legte Elisa ihren Löffel nieder. Sie hatte ohnehin nichts mehr vom Eintopf, der noch in ihrer Schüssel war, verspeisen wollen.

Völlig überdreht kam Joseph mit ausladenden Schritten auf den Esstisch im Gemeinschaftsraum zugelaufen und stützte sich leicht nach vorne gebeugt mit den Handflächen auf der Tischplatte ab. Sein Oberkörper hob und senkte sich unter seiner heftigen Atmung. Nach wenigen Sekunden richtete Joseph seinen Blick vom Tisch herauf und schaute ihnen reihum in die Augen. Elisa wusste nicht, wie es den anderen ging, aber sie konnte es kaum erwarten, zu erfahren, was einen solchen Auftritt hervorgerufen haben mochte. Aufmerksam betrachtete sie den Mann vor sich und ihre Neugierde wurde zusätzlich geschürt, als sie ein kleines rotes Rinnsal an Josephs Wange entdeckte, das seinen Ursprung irgendwo versteckt über seinem Haaransatz haben musste. Sie wollte herausfinden, wie er sich die Kopfverletzung zugezogen haben konnte.

»Du blutest«, stellte sie fest und löste Joseph damit aus seiner Starre.

»Meine Damen, meine Herren«, begann Joseph und atmete ein weiteres Mal tief durch. Auf Elisas Bemerkung ging er nicht ein, ohne weit auszuholen. »Sie wurden Zeuge einer Flucht. Ich musste – und man möge sich das einmal bildlich vor Augen führen – vor meinem eigenen Weibe fliehen, das mich nicht nur verletzte, sondern überdies noch zu töten drohte.«

Die darauf folgende Stille war so dicht, dass sie auf einem eigenen Stuhl mit bei ihnen am Tisch hätte sitzen können.

Das Gasthofehepaar erbleichte, Elisa kaute auf ihrer Unterlippe herum, David räusperte sich und Cyril konstatierte: »Ich fürchte, du wirst dich näher erklären müssen, Joseph. Ich sehe ratlose Gesichter und verstehe auch selbst nicht, was du uns zu sagen gedenkst.«

»Meine geliebte Theresia ist völlig von Sinnen! Sie hat mich … Ich traue es mich gar nicht auszusprechen, da es mich in meiner Mannesehre verletzt.«

David räusperte sich erneut und Elisa glaubte zu sehen, dass er sich von innen auf die Backen biss, um ein Lächeln zu unterdrücken. Schließlich sagte er: »Wir sind hier unter uns. Nun berichte endlich, was dir widerfahren ist. Für niemanden wirst du hier ein geringerer Mann sein.«

Elisa nickte und sah, dass es ihr die übrigen gleichtaten.

Joseph legte sich eine Hand vor die Augen und sank auf den nächstbesten Stuhl. Durch diese Bewegung wirkte er für Elisa weibischer, als er durch jedes Ereignis bezüglich Theresia hätte erscheinen können. »Sie hat mich mit einem Buch verprügelt. Mit meinem Lieblingsband von Goethe geschlagen. *Die Leiden des jungen Werther* wurden somit zu meinem eigenen Leiden. Verprügelt von einer Frau!«

Verblüfft über Josephs Literaturgeschmack und Theresias Handgreiflichkeit, kratzte Elisa sich an der Augenbraue, bevor sie es wagte, nach dem Grund des Übergriffs zu fragen. Sie konnte sich nicht ein einziges Szenario ausmalen, wie es dazu gekommen sein konnte.

Theresia war zuletzt nervlich angespannt, aber zu keiner Zeit gewalttätig erschienen.

Joseph trommelte abwesend mit Zeige- und Mittelfinger auf dem Tisch herum. Elisas Geduld war längst überstrapaziert. Am liebsten hätte sie seine Hand festgehalten, dass das Geräusch aufhörte, so sehr störte es sie. Schließlich hielt er inne und sagte: »Wir saßen schweigend beisammen und haben das Abendessen verzehrt. Plötzlich stellte Theresia ihre Schüssel weg, stand auf und lief im Raum umher. Sie muss wahnsinnig geworden sein. Sie bemerkte das Buch, das auf dem Tisch lag, ergriff es und ging auf mich zu. Wortlos kam sie näher und näher. Verblüfft ließ ich meinen Löffel sinken und starrte in ihr Gesicht und auf das Buch in ihrer zarten Hand. Sie hob den Arm, holte aus und schlug es mir hier gegen den Kopf, bevor ich es hätte abwehren können. Ich kann mir nicht erklären, was sie veranlasste, so grob zu werden.« Joseph sackte in sich zusammen und schüttelte den Kopf, als glaube er selbst nicht, was ihm widerfahren war.

Nach seinem Bericht blieb es zunächst einmal still. Elisa konnte sich kaum vorstellen, dass die Theresia, die sie ein wenig kennengelernt hatte, ihren Mann mit einem Buch geschlagen haben sollte. Oder gab es einen tiefergehenden Grund, den Joseph ihnen verschwieg? Hatte sie sich gegen ihn zur Wehr gesetzt? Lag sie nun eventuell selbst verwundet in ihrem Zimmer?

»Und was ist danach geschehen? Wollte dir Theresia nicht folgen, als du aus dem Zimmer kamst?«, wollte David wissen und hatte wohl ähnliche Gedanken gehabt wie Elisa.

Joseph errötete. »Nun ja, ich habe sie oben eingesperrt, bis sie wieder ruhiger ist«, gestand er.

»Sollten wir nicht nach ihr schauen gehen?«, schlug Elisa vor.

Josephs Reaktion war heftig. »Mitnichten!«, rief er. »Einen weiteren Verletzten riskieren? Das wäre verrückt. Wir lassen ihr am besten ein wenig Ruhe.«

Cyril widersprach ihm und sagte: »Wir wissen doch gar nicht, ob Theresia jemand anderen als dich angreifen würde. Hast du vielleicht etwas getan, womit du ihre Reaktion ausgelöst hast? Hast du ihren Unmut auf irgendeine Weise geweckt? Bei einer Frau passiert das einem schneller, als man denkt.«

Elisa bemerkte die Fassungslosigkeit in Josephs Gesicht, als er den Kopf schüttelte. Er blieb stumm. Sie kaufte ihm erst in diesem Moment seine Opferrolle wirklich ab.

Maria erhob sich und gab Auskunft, dass sie bei Theresia klopfen und sich nach ihrem Wohlergehen erkundigen wolle. Es dauerte keine zwei Minuten, da kehrte sie zurück an den in gespannter Stille gefangenen Tisch. »Sie hat sich nicht gerührt. Aber ich denke, dass sie erst einmal genug mit sich selbst auszumachen hat. Sie wollte ohnehin auf unsere Gesellschaft verzichten, da sollten wir sie nicht bedrängen, oder?«

Joseph, der inzwischen nicht mehr blutete, sagte: »Ich werde dennoch nicht wieder zu ihr hinaufgehen. Ich suche mir für heute Nacht einen anderen Schlafplatz. Das Bett werde ich nicht mit einer gefährlichen Irren teilen.«

»Joseph, du sprichst von deiner Ehefrau!«, empörte sich Elisa.

Stur lehnte sich der Angesprochene in seinem Stuhl zurück und verschränkte seine Arme vor der Brust. Elisa rieb sich ihre kribbelnden Finger und versuchte Josephs Reaktion etwas Positives abzugewinnen: Er würde höchstwahrscheinlich erst einmal seinen Mund halten.

»Wir kümmern uns nachher um das Thema, in Ordnung?«, stellte Wendelin mehr fest, als dass er dies seine Gäste fragte.

5. Kapitel

Vom Gespräch am Tisch bekam Elisa bald nichts mehr mit, ihr gelang es nicht, den anderen zuzuhören. Die Stimmen verschwammen zu einem einzigen Gewirr, das ihr in den Ohren schmerzte. Ihre Hände kribbelten stark und fühlten sich an den Fingerspitzen taub an. Elisas Kopfhaut schien zu vibrieren, als versuchte ein Schwarm Bienen durch ihre Schädeldecke aus ihrem Kopf zu fliehen.

Was geschieht mit mir? Vielleicht reagiert mein Körper auf die Gefangenschaft durch den Schnee. Oder ist etwas mit dem Eintopf? Dann müssten aber auch die anderen etwas spüren, dachte Elisa. Müde versuchte sie sich darauf zu konzentrieren, sich normal zu fühlen und damit diese seltsamen Symptome zu bannen, aber Elisa bekam ihr Unwohlsein nicht in den Griff. Sie versuchte sich dennoch ruhig zu verhalten, um den anderen nicht als zweites Frauenzimmer zu erscheinen, das zur Entrückung neigte.

Hektisch zu atmen begann sie dann, als die Ränder ihres Sichtfeldes verschwammen und sich ihr Blick verdunkelte. Es war nun nicht länger zu leugnen, dass in ihrem Körper irgendetwas gehörig schieflief. Panik flammte auf und verbrannte Elisa von innen. »Ich … meine Augen …«, krächzte Elisa, dann wurde es zur Gänze dunkel und ihr Kinn sackte ihr auf die Brust.

Elisa hörte, dass Stühle verschoben wurden.

Die anderen berührten sie, griffen nach ihr, aber sie konnte nicht sprechen. Sie fühlte Hände in ihrem Gesicht und an den Armen, aber sie war zu keiner Regung fähig.

Immer mehr driftete Elisa in die Bewusstlosigkeit, bis sie gar nichts mehr von der Außenwelt mitbekam und es sich in einem flauschigen, grauen Nichts gemütlich machen konnte. Sie fühlte sich wie ein Käfer mitten in einer Pusteblume. Ab und zu waren da kurz aufflackernde Bilder, Geräusche oder Gerüche, aber nichts, an dem sie sich festhalten konnte. Es war viel zu schön, sich einfach sinken zu lassen, um gegen das Grau aufzubegehren. Sie ließ sich treiben.

Elisa fühlte sich starr, als könne sie sich nicht bewegen. Sie saß weicher also zuvor und als sie ihre Augen wieder öffnete, stellte sie fest, dass sie sich nicht mehr an derselben Stelle befand.

Verwirrung machte sich in ihr breit. *Warum sind meine Hände an die Stuhllehne gefesselt?*, fragte sie sich. *Und wann soll das geschehen sein? Was haben sie mit mir vor?* Ihr Herz pochte aufgeregt in ihrer Brust. Elisa sehnte sich zurück in das weiche, graue Nichts der Bewusstlosigkeit und wünschte, sie wäre weg von dieser überfordernden Realität. Was mochte vorgefallen sein? Sie räusperte sich und zog damit die Aufmerksamkeit der anderen auf sich, die sie in einem kleinen Kreis umringten.

»Elisa?«, fragte Maria. Die Betonung dieser Frage kam Elisa gänzlich falsch vor. Als hätte Maria an einer Tür geklopft und gefragt, ob sie da sei. Oder wer dahinter wartete.

Elisa bemerkte, dass ihr Mund ausgetrocknet war, und fragte: »Könnte ich bitte etwas zu trinken bekommen? Und warum bin ich gefesselt? Macht mich bitte los. Das kann ja kaum euer Ernst sein.« Maria hielt ihr einen Becher Wasser an den Mund, rührte aber die Seile, die Elisas Hände fesselten, nicht an. Während sie trank, mühte sich Elisa mit ihren Fesseln ab, konnte sie aber nicht lösen. »Was macht ihr hier mit mir?«, fragte sie inzwischen mit schriller Stimme und blickte in erhitzte Gesichter.

»Weißt du das denn nicht selbst?«, wollte David wissen.

»Vielleicht fehlt ihr wie mir Zeit«, riet Cyril sofort und sprach, als wäre Elisa gar nicht da. Er musste sich dazu bereits seine Gedanken gemacht haben. Oder er äußerte seine Vermutung zum wiederholten Mal.

»Nein, ich weiß nicht, was geschehen ist.« Elisa sprach so ruhig und deutlich, wie sie konnte. Sie wollte nicht für verrückt gehalten werden und vor allem wollte sie, dass ihre Fesseln gelöst wurden. »Aber vielleicht kehrt meine Erinnerung zurück, wenn ihr mir erzählt, was geschehen ist.«

»Auf mich losgegangen bist du«, zischte Wendelin und der Vorwurf in seiner Stimme war nicht zu überhören. »Den Schürhaken hast du ergriffen«, sagte er und deutete auf den eisernen Gegenstand, der achtlos auf den Holzdielen lag, »und wolltest mich damit erschlagen.«

Alles in Elisa sträubte sich gegen diesen Vorwurf. *In was für eine perfide List bin ich hier hineingeraten?* Dennoch bewahrte sie nach außen die Fassung, so gut es eben ging. »Das ist absurd. Weshalb sollte ich das tun? Ach, was frage ich da? Niemals würde ich mit einem Schürhaken auf einen meiner Mitmenschen losgehen. Warum macht ihr das mit mir?«

David kam zu ihr und ging vor ihr in die Hocke, sodass sie beinahe auf Augenhöhe waren. »Elisa, das ist tatsächlich geschehen. Wir alle sind Zeugen. Kannst du dich wirklich nicht erinnern?«

Elisa schüttelte den Kopf. Verloren, einsam und verwundbar, wie sie sich fühlte, klebte ihre Zunge schier an ihrem Gaumen fest. Sie wollte aber nicht nochmals Wasser von Maria verlangen und damit ihre Hilflosigkeit den anderen vor Augen führen.

»Ein Streit ging diesem Übergriff voraus«, konstatierte Cyril und hörte sich für sie ein bisschen wie das *Fräulein von Scuderi* an, eine Figur aus einer kriminalistischen Novelle, die sie kürzlich gelesen hatte.

»Habe ich dich verletzt?«, unterbrach Elisa Cyril und stellte beruhigt fest, dass Wendelin keine sichtbaren Wunden aufwies.

Der Angesprochene schüttelte nur den Kopf, als täte das gar nichts zur Sache.

Cyril maß der Unterbrechung keine Bedeutung bei und sprach weiter: »Elisa, du hast eine kühne Behauptung aufgestellt. Du konfrontiertest Wendelin und Maria mit deiner These, dass sie uns hier absichtlich und unnötigerweise festhalten. Dass sie nach unseren Leben trachten. Was hältst du jetzt davon?«

Bevor Elisa auch nur den Mund öffnen konnte, schlug Wendelin mit der Faust auf seinen Oberschenkel und vergaß seine Manieren als Gasthofbesitzer. »*Sapprement*, das ist unfassbar, solche Anschuldigungen sich anhören zu müssen. Wir tun nichts dergleichen und haben das auch niemals zuvor. Alle unsere Gäste waren stets gerne hier. Und solch eine Beleidigung gerade von dir, Elisa. Wenn wir dich nicht beherbergt hätten, als der Schneesturm einsetzte, dann wärest du noch in dieser Nacht draußen erfroren. Wir gewährten dir Obdach, und das ist der Dank?«

Überrumpelt von so viel Feindseligkeit, reckte Elisa ihr Kinn und sagte zu ihrer Verteidigung: »Obdach kann man das ja nicht unbedingt nennen. Ich zahle für mein Zimmer einen stattlichen Preis. Dabei kann ich das Gebäude nicht einmal nach Gutdünken verlassen.«

Wendelins Unterkiefer zitterte und er beantwortete ihre Aussage wohl nur deshalb nicht, weil Maria ihm die Hand auf den Arm legte und energisch mit dem Kopf schüttelte.

Elisa dachte darüber nach, was sie angeblich den Gasthofbesitzern vorgeworfen haben sollte. Ihr kam im Rückblick das Verhalten der beiden zwar nicht immer ganz nachvollziehbar vor, aber dass Maria und Wendelin sie gefangen hielten, fand sie ganz und gar lächerlich. »Ich möchte mich entschuldigen, falls ich euch tatsächlich dessen bezichtigt habe«, sagte Elisa und rutschte ein wenig auf dem Lehnsessel herum, auf dem sie noch immer festgebunden war. »Diese Behauptung ist wahrlich nicht nachvollziehbar und ich glaube nichts dergleichen. Ich hoffe, dass wir weiterhin in freundlicher Weise miteinander auskommen werden.«

Zufrieden, aber weiterhin mürrisch, nickte Wendelin.

Maria sagte: »Danke, Kind. Das warst nicht du selbst, oder? Ist dein Temperament mit dir durchgegangen oder hat deine Fantasie dir einen Streich gespielt? Wie auch immer. Wir wollen uns vertragen und den Zwischenfall vergessen. Wir sind ein gastliches Haus. Und möge endlich jemand das arme Mädchen losbinden. Das sind ja Sitten hier!«

»Ein junges Weib festzuhalten ist mir ein Leichtes, binde sie ruhig wieder los«, brummte Wendelin dazu.

David, der sich am nächsten bei ihr befand, stand sogleich auf und löste die Seile. Obwohl sich Elisa der Klischeehaftigkeit ihrer Handlung bewusst war, konnte sie es nicht vermeiden, zur Begrüßung ihrer Freiheit sich die Handgelenke zu reiben. Sie stand auf, streckte sich und lief ein wenig umher, um besser nachdenken zu können. Dass sie von allen anderen beobachtet wurde, ignorierte sie. Sie musste sich bewusst werden, was mit ihr geschehen war. Wie Cyril auch, hatte sie keine greifbare Erinnerung an eine bestimmte Zeitspanne und dennoch war währenddessen einiges geschehen, mit ihr selbst im Mittelpunkt. Und das, was vorgefallen war, klang nicht im Entferntesten nach ihr. Was konnte vorgefallen sein? Und vor allem: Was war mit ihr selbst geschehen? War auch Theresia davon betroffen gewesen, als sie Joseph angriff? *Meine Güte*, dachte Elisa, *was hat Cyril dann in der Zeit, an die er sich nicht erinnert, getan? Wenn alle plötzlich derart aggressiv werden, klingt das nach großen Problemen.* Dass er sich als Einziger der drei Betroffenen so unauffällig verhalten haben soll, während er wohl nicht er selbst war, kam Elisa seltsam und unwahrscheinlich vor.

Gerade als sich Elisa der Stille im Raum peinlich bewusst wurde, die nur durch das Geräusch ihrer Schritte gestört wurde, räusperte sich Joseph und sagte: »Ich weiß nicht, wie ihr das seht, aber ich fühle mich sehr unwohl. Einerseits bin ich in meinem Zimmer Opfer meiner eigenen Frau geworden und andererseits scheint es auch hier in der Gruppe nicht ungefährlich zu sein. Was ist los, dass alle dermaßen agieren? Es wird Zeit, dass wir hier herauskommen und dem Gasthof den Rücken kehren können. Verzeihung, Wendelin, aber ich hoffe auf dein Verständnis bezüglich meiner Aussage.«

»Ich stimme dem zu«, bekannte Cyril. »Wir müssen über unsere Sicherheit sprechen. Welche Möglichkeiten siehst du, Wendelin?«

Der Angesprochene nickte und öffnete den Mund, aber David ergriff das Wort. »Wir sollten uns einmal an das erinnern, wovon Conrad bereits gestern gesprochen hat«, sagte er. »Er ist mir eigentlich als vernünftiger Mann erschienen, weshalb ich sein gestriges Betragen für bedenklich hielt. Und apropos Conrad: So langsam sollten wir uns ernstlich überlegen, ob wir nicht in sein Zimmer vordringen sollten, um zu schauen, dass es ihm tatsächlich gut geht. Er ist schon so lange verschwunden.«

Cyril lachte höhnisch. »Du sprichst nun ebenfalls schon von Gespenstern, mein Freund? Das hätte ich nicht von dir erwartet.«

»Und gerade du solltest ganz still sein. Du erinnerst dich an eine – wenn auch kurze – Zeitspanne deines Tages nicht. Obwohl du keine Kopfverletzung erlitten hast, weißt du nicht, was mit dir geschehen ist. Und wie erklärst du Theresias und auch Elisas ungewöhnliches Verhalten?«, konterte David, ohne seinen Freund zu schonen.

»Habt ihr bereits von weiblicher Hysterie gehört? Es gibt da die eine oder andere Theorie«, warf Joseph ein, während Cyril die Arme vor der Brust verschränkte und nickte.

»Warst du demnach auch kurzzeitig hysterisch, Cyril?«, fragte David nach und kam damit Elisa zuvor, die eine solche Behauptung nicht einfach so auf sich sitzen lassen wollte. Was für ein Humbug diese männliche Forschung doch teilweise war.

Cyril war offensichtlich am Ende seiner Geduld. »Lasst uns doch bitte zur Kernfrage zurückkehren«, sagte er und fluchte ein wenig auf Englisch. »Sind wir hier noch sicher? Oder müssen wir befürchten, dass jeder sich plötzlich derart aufführt und die anderen angreift? Und was geschieht da mit uns?«

Joseph schnaubte. »Also, dass ein Geist euch besessen machen soll, kann ich mir nicht vorstellen. «

»Weshalb sollte sonst Cyril sich an eine gewisse Zeitspanne nicht erinnern und Elisa nicht mehr sie selbst sein? Denke an deine Frau, weshalb sollte sie dich derart angegangen sein?«, hakte David nach.

Joseph schlug die Augen nieder und zog sich in sich selbst zurück.

Je mehr unterschiedliche Meinungen sie hörte, desto weniger wusste Elisa, was sie noch glauben sollte. Eigentlich wollte sie Conrads Geistergeschwätz nicht einmal als Möglichkeit in Erwägung ziehen. Sie war stolz auf ihren Verstand und wollte derartigen Aberglauben nicht an sich heranlassen. Wenn sie aber ihre Fantasie in ihrem Kopf tanzen ließ, ängstigte sie sich bei der Vorstellung schier zu Tode, dass vielleicht ein Geist für eine gewisse

Zeit die Kontrolle über sie gehabt haben sollte. Sie konnte allerdings nicht leugnen, dass dies das Verhalten ihrer Mitmenschen und nicht zuletzt ihr eigenes Betragen erklären würde.

Cyril lachte erneut verächtlich und fragte in die Runde: »Nun einmal im Ernst, ich bitte diejenigen die Hand hochzustrecken, die an Geister glauben. Wer von euch kann sich vorstellen, dass Theresia, Elisa und ich von einem Geist besessen waren?«

Natürlich hob niemand die Hand, aber alle beobachteten einander aufmerksam.

»Ich hielte es für klug, wenn wir keine Möglichkeit außer Acht ließen, bis wir wissen, was hier geschieht«, schlug Elisa leise vor.

»Elisa, das ist doch alles Irrsinn«, belehrte Joseph sie. »Wenn du diesen Gespensterwahnsinn wirklich als Erklärungsmöglichkeit betrachtest, sollten wir dich eventuell zu Theresia bringen oder dich erneut an den Lehnsessel binden.«

»Hier wird niemand weggeschlossen«, erwiderte David scharf, »und im Übrigen halte ich es für dringend erforderlich, dass du Theresias Tür wieder aufsperrst. Es mag eine Sache sein, wenn sie sich verbarrikadiert, aber sie gegen ihren Willen dort oben festzuhalten, das ist etwas ganz anderes.«

»Du meinst, der Geist hat nicht länger Besitz von ihr ergriffen, weil er ja gerade eben schon in Elisa war? Aber pssst, wenn der Geist nun in einem anderen von uns steckt, dann hört er unsere Pläne ja mit. Wir sollten prüfen, ob wir alle geistfrei sind. Wie wurde das im Mittelalter mit den

Hexen nochmal angestellt?«, höhnte Joseph und gestikulierte theatralisch.

»Mach dich nicht lächerlich, oder hast du das Buch zu fest gegen den Kopf bekommen?«, ging David auf seinen Spott ein.

Joseph atmete tief ein und aus. »Lasst uns bitte nicht streiten!«, rief Joseph unter akutem Sinneswandel aus. »Der Zusammenhalt der Gruppe ist nun wichtiger denn je. Ich würde sagen, ich hole eine neue Flasche von Wendelins Selbstgebranntem als Friedensangebot, wenn das in Ordnung geht. Und dann trinken wir eine Runde und ziehen einmal alle Möglichkeiten zum weiteren Verfahren in Betracht.«

Auf Wendelins Nicken hin machte Joseph sich auf den Weg. Elisa bereitete sein Verhalten Kopfzerbrechen. War er tatsächlich vernünftig geworden oder war es nicht mehr Joseph selbst, der da gesprochen hatte?

6. Kapitel

Nachdem Joseph gegangen war, versuchte Elisa an den Gesichtern der Übrigen zu erkennen, ob ihnen die gleichen Gedanken gekommen waren wie ihr selbst. Wenn Joseph aus dem Keller zurückkehren würde, müssten sie ihn jedenfalls besonders im Auge behalten. Sie waren nun nur noch zu fünft. Die Engländer, die Gasthofbesitzer und Elisa selbst.

Aus den Gesichtern der anderen wurde sie nicht schlau, aber als Maria ihren forschenden Blick bemerkte, wrang sie die Hände und seufzte. »Das ist wahrlich der Albtraum eines jeden Gasthausbesitzers. Man möchte seinen Gästen eine angenehme Zeit in einer schönen, sicheren Unterkunft bieten. Und dann geschieht so etwas«, rief Maria aus und gab den Anschein, den Tränen nahe zu sein.

Wendelin tätschelte ihr den Rücken. »Wir können doch nichts dafür. Es ist nicht unsere Schuld. Wir können einfach nichts dafür.«

Für Elisa wurde es an dieser Stelle zu viel des Guten, sie konnte und wollte Maria und Wendelin nicht mehr vertrauen. Wenn etwas im Gasthof nicht stimmte, dann müssten die beiden davon wissen. Sie verschränkte die Arme vor der Brust und rutschte tiefer in den Sessel hinein. Als auch die Engländer still an ihren Plätzen verharrten, sammelte sie ihren Mut.

»Es sind mir da Gerüchte zu Ohren gekommen«, sagte sie schnell, sodass sie es nicht mehr zurücknehmen konnte. Elisa erinnerte sich an das Verhalten des Postkutschers und wollte herausfinden, was es damit auf sich gehabt haben konnte.

Wendelin brauste sogleich auf: »Gerüchte? Was für Gerüchte? Wir wissen nichts über Gerede über den Gasthof!«

»Stimmt es denn nicht«, wollte Elisa wissen, »dass Einheimische den Gasthof meiden?«

»*Maidli*, wenn man in der Nähe sein eigenes Bett stehen hat, nächtigt man doch nicht hier, oder?«, gab Wendelin zurück. Er verschränkte seine Arme vor der Brust. Es gab für Elisa kein weiteres Herankommen an ihn.

Nach einer Weile seufzte Maria erneut resigniert, wechselte aber das Thema, als sie sagte: »Na, wo bleibt denn der Joseph? Der wird sich doch nicht im Keller verlaufen haben … oder gar den Selbstgebrannten alleine bechern. Ich gehe ihm hinterher und schaue, wo er bleibt.«

Elisa sprang sofort auf. Sie wollte selbst sehen, was Maria vorhatte. »Wenn du nichts dagegen hast, würde ich dich gerne begleiten. Wer weiß, welcher Stimmung Joseph ist.«

David nickte. »Sollte nicht einer von uns Männern dich begleiten, Maria? Falls die Situation dort unten außer Kontrolle gerät, wären auch zwei Frauen ein leichtes Opfer.«

Maria winkte ab. »Das ist jetzt nicht euer Ernst. In unserem eigenen Waldgasthof brauche ich doch keinen Aufpasser, *des wär doch glacht*«, widersprach sie mit wegwerfender Handbewegung. »Warum gehen wir dann nicht gleich alle in den Keller? Sollte Joseph von eurem Geist besessen sein, bietet auch ein einzelner Mann kaum

Sicherheit.« Maria kniff die Augen zusammen und schaute in die Runde.

»Ja, warum eigentlich nicht?«, fragte Cyril und erhob sich, um in den Keller zu gehen.

Marias Wangen glühten, als sie alle gemeinsam die Stufen hinabstiegen.

Unten angekommen, rief Wendelin: »Joseph, wo steckst du? Hast du meinen Selbstgebrannten alleine ausgetrunken, du *Schluri*?«

Niemand lachte. Wendelin kratzte sich verlegen am Kopf. Offensichtlich wurde ihm erst jetzt bewusst, wie ernst die Situation für seine Mitmenschen war. Als sich Elisa an das spärliche Licht im Keller gewöhnt hatte, das die wenigen Kerzen boten, konnte sie recht gut sehen. Allerdings würde es kein Leichtes werden, Joseph in dem mit Plunder vollgestellten Keller zu finden, wenn er sich zu verstecken versuchte.

Ein intensiver Geruch nach Wein kitzelte Elisa in der Nase und drehte ihr den Magen um. Bis auf das Geräusch ihrer Schritte auf dem Steinboden blieb es still. Deshalb nahm Elisa bald ein Geräusch wahr, das sie zunächst nicht identifizieren konnte. Sie hörte es wieder und wieder in unregelmäßigen Abständen, bis sie schließlich erkannte, worum es sich handelte: Ein erwachsener Mann wimmerte. Da Maria ihr am nächsten war, zog sie diese am Ärmel und bedeutete ihr, sie möge ihr folgen.

Nicht weit vor sich fanden sie Joseph auf dem Boden kauern. Die Kerze, die er mitgenommen hatte, lag erloschen einen Schritt von ihm weg. Er hielt sich die Augen zu und wippte vor und zurück.

Neben ihm lag Conrads Leichnam.

Unwillkürlich trat Elisa einen Schritt zurück und konnte die Augen nicht von der Szene nehmen, die sich ihr bot. Warum Joseph Conrad hätte töten sollen, konnte sie nicht begreifen. Elisa schaute auf Conrads leblose, bleiche Haut und würgte.

Maria rief die anderen herbei und Elisa erwachte erst wieder aus ihrer Starre, als sie Cyril sagen hörte: »*Goddamn*, Joseph, *what have you done?* Warum zum Teufel hast du ihn umgebracht?«

»Ich war das doch nicht«, brachte Joseph gerade noch verständlich hervor, räusperte sich und wischte sich über das Gesicht. Wie ein alter Mann rappelte er sich vom Boden auf und stand wankend vor ihnen. »Ich nicht ...«, wiederholte er. Er streckte seine Hand aus und wankte zur Gruppe hin und flüsterte wiederholt: »Theresia.«

Will er sie beschuldigen oder sich ihres Wohlergehens versichern?, fragte sich Elisa und entschied sich sogleich für Letzteres.

David hielt Joseph fest, damit er bei ihnen blieb, und versuchte den vermeintlichen Mörder zu beruhigen. Er legte ihm die Hand auf die Schulter und sagte: »Theresia ist doch noch in ihrem Zimmer. Ihr geht es gewiss gut.«

Mit aufgerissenen Augen beobachtete Cyril seinen Freund. Er schlug Davids Hand von Josephs Schulter und schrie beinahe: »Du tröstest diesen Mann noch? Er hat einen Menschen getötet!«

Elisa schüttelte ihren Kopf, um aus dem Nebel der Benommenheit wieder aufzutauchen. »Das wissen wir doch gar nicht«, wisperte sie, da ihr das Grauen noch immer die Kehle zudrückte. »Wir haben ihn hier gefunden, aber das heißt nicht, dass er Conrad nicht selbst hier nur gefunden hat. Er ist komplett durcheinander.«

»Genau, weil sein Gewissen ihn in die Knie zwingt«, erwiderte Cyril scharf.

Elisa verstand plötzlich Cyrils aggressives Verhalten. »Du befürchtest, selbst der Mörder zu sein, nicht wahr? Du erinnerst dich an eine gewisse Zeitspanne nicht und warst der Letzte, der mit Conrad zusammen war, als er noch lebte. Du hast Angst, dass du ihn umgebracht hast. Was ich im Übrigen für durchaus möglich halte. Dass er tatsächlich in seinem Zimmer gewesen sein soll und geschlafen hat, ist eine unbestätigte Vermutung geblieben.«

Cyril hob die Schultern und wandte sich froschäugig an die Gasthofbesitzer, die aneinandergedrängt beisammen standen. »Sagt doch auch einmal was. Euch gehört immerhin dieser verfluchte Gasthof.«

Wendelin hustete seinen Pfeifenraucherhusten und antwortete schließlich: »Es ist offensichtlich, dass Conrad nicht auf natürliche Weise starb. Ich meine … all das Blut … irgendjemand hier muss ein Mörder sein. Ihr macht mir alle den Eindruck, nette Menschen zu sein, aber nach Selbstmord sieht mir das hier nicht aus.« Mit vor Ekel zur Grimasse verzogenem Gesicht deutete er auf die Wunde an Conrads Hinterkopf. Selbst im Kerzenlicht war der zerborstene Schädel zu erkennen. Kleine Schädelknochensplitter hatten sich in den vom Blut klebrigen Haaren verfangen.

Elisa musste erneut würgen und sie schämte sich dafür nicht. »Falls hier tatsächlich ein Geist umgeht, dann muss nicht zwangsläufig ein Mörder unter uns sein. Es könnte unbewusst, unter Einfluss …«

Elisa wurde von Maria barsch unterbrochen: »Damit willst du gerade jetzt wieder anfangen?«

Cyril behauptete in der darauf folgenden Stille: »Für mich steht der Mörder hier und spielt uns etwas vor. Sprich doch einfach die Wahrheit, Joseph! Hast du nicht noch diesen dämlichen Witz gemacht, ich hätte Conrad auf dem Gewissen? Willst du mir was in die Schuhe schieben?«

»Du hast doch gar keine Ahnung«, zischte Joseph. Der hasserfüllte Blick, den er Cyril zuwarf, ging Elisa durch Mark und Bein. Er ballte seine Fäuste und lief davon.

»Ich halte es hier nicht länger aus«, gab Elisa zu und machte sich daran, Joseph zu folgen.

»Du solltest zur Sicherheit nicht mit ihm alleine sein«, sagte Wendelin.

Elisa schüttelte den Kopf. »Du kennst meine Meinung. Ich glaube, dass ich oben bei Joseph so sicher bin wie hier unten bei euch.« Sie setzte ihren Weg fort. Sie fühlte sich verängstigt und um ihr Leben bedroht. Inzwischen war es ihr einerlei, was die anderen für eine Meinung von ihr hatten.

Hinter sich hörte Elisa Wendelin sagen: »Maria, Cyril, David, geht doch zusammen mit Elisa hinauf. Ich überlege, was ich mit Conrad machen werde.«

Oben angelangt, legte Maria Elisa eine Hand auf die Schulter. »Verzeih mir meine harschen Worte dort unten«, bat sie. »Wenn ich darüber nachdenke, erscheint mir deine These bezüglich des Geistes vielleicht doch nicht völlig von der Hand zu weisen.«

Elisa nickte. »Entweder das, oder wir haben einen Mörder unter uns. Da ich selbst davon betroffen bin und weiß, dass nicht ich mich so aufgeführt habe in dieser gewissen Zeit, glaube ich – so lächerlich es auch klingt – dass hier ein Geist sein Unwesen treibt. Aber du kannst dich damit gar nicht anfreunden, Cyril? Gerade dir fehlt doch ebenfalls Zeit.«

»Ich muss gestehen, dass ich deine bescheuerte These für plausibler halte, als mir lieb ist. Zuletzt habe ich hin und wieder seltsame Geräusche vernommen, sie aber als Einbildung oder etwas ganz Gewöhnliches abgetan.«

»Welche Geräusche denn?«, fragte David nach.

»Nichts, worin man einen Geist erkennen könnte, die einer allerdings verursachen könnte. Rumpeln, gedämpfte Schreie, solche Dinge. Spuk eben.«

Jetzt, da Elisa bezüglich ihrer These Beipflichtung fand, kribbelte es erneut in ihrer Brust. Wenn sie selbst mit ihrer Vermutung nicht alleine dastand, wurde die Tatsache, dass ein Geist unter ihnen war, viel realer und erschreckender. Wann würde er sich das nächste Opfer suchen? Und wen würde es treffen?

Diese Fragen verfolgten sie auch dann noch, als sie nach einem langen Tag in ihr Bett stieg und sich lange hin und her wälzte, bevor sie einschlief.

4. Tag

7. Kapitel

Elisa öffnete die Augen und schlug die Decke zurück, die ihren Körper noch in Nachtwärme hüllte. Sie zögerte keine Sekunde vor der Kälte, die sofort auf ihrer Haut prickelte.

Der Morgen dämmerte andeutungsweise durch die eingeschneiten Ritzen ihrer Fensterläden zu Elisa ins Zimmer, zumindest erschienen ihr die Spalte ein wenig heller als am Abend zuvor. Ob sie nun die Gerichtsverhandlung in Freiburg verpasste oder nicht, sie hatte genug davon, hier eingepfercht zu sein. Sie saß im Waldgasthof fest wie ein Schaf in einem Stall, das auf Gutdünken des Hirten auf die Wiese hinausgelassen werden konnte – oder eben nicht. Elisa beschloss, den Hirtenstab selbst in die Hand zu nehmen und zumindest nicht tatenlos herumzusitzen. Wie bereits am gestrigen Tag wollte sie nichts unversucht lassen, um einen Ausweg zu finden.

Aber was konnte sie noch tun? Elisa entzündete die Kerze auf ihrem Nachttisch und ließ ihren Blick im Zimmer umherschweifen. Wie nie zuvor fiel ihr auf, wie abgenutzt und schlicht die Einrichtung war. Aber eine Möglichkeit, aus diesem Schneegrab zu entkommen, entdeckte sie nicht. *Als wäre ich in einem Sarg*, dachte Elisa. Da kam ihr eine Idee. Rasch griff sie zur Kerze, verließ ihr Zimmer, die Tür hinter sich zuschlagend, und eilte die Treppe hinab. Wendelin und Maria hatten sich vielleicht aufgrund der ansonsten geringen Übernachtungen in ihrem Haus gut mit der Situation abgefunden, Elisa hatte das nicht und war bereit, ihre Freiheit zu erwirken.

»Guten Morgen, die Herren«, begrüßte sie die beiden Engländer, die sich in dem Moment ihrer ersten Tasse Tee des Tages hingaben.

Während Cyril nur nickte und den Morgenmuffel in sich noch nicht zur Gänze gezähmt hatte, grinste David breit und fragte seinen Freund: »Hast du das gehört? Elisa hat bestimmt wieder etwas ausgeheckt, bei dieser artigen Begrüßung am Morgen.«

»Mit deiner Vermutung hast du gar nicht so Unrecht, mein lieber David.« Bei dem Vorhaben, zu dem sie die beiden überreden wollte, konnte es nicht schaden, sich zuvor ein wenig einzuschmeicheln. »Aber frühstückt erst einmal in Ruhe zu Ende. Darf ich euch eventuell noch eine Tasse Tee servieren?«

»Und du frühstückst nicht?«, fragte David skeptisch nach. Cyril schüttelte lediglich den Kopf und blies ein wenig Dampf aus seiner Tasse.

»Nein, ein leerer Magen kann mir nicht schaden bei dem, was ich gleich zu tun gedenke.«

»Heraus mit der Sprache, Elisa«, forderte David, während Cyril zeitgleich fragte: »Und das wäre?«

Elisa holte tief Luft und atmete langsam aus. Die Worte, die sie sich zurechtgelegt hatte, klangen alle falsch oder verrückt. Während sie um ihr Vorhaben herumredete, vergaß sie sogar nach Luft zu schnappen, bis kleine Punkte in ihrem Sichtfeld tänzelten. »Die Schneedecke scheint ja bis ins nächste Frühjahr hinein überstehen zu wollen. Deshalb möchte ich versuchen herauszufinden, womit wir es hier zu tun haben und womit wir rechnen müssen. Wir sollten, was wir an Hinweisen haben, genauestens prüfen und durchdenken.«

Das Schweigen der Engländer überzeugte auch Elisa von der Wahnwitzigkeit ihres Plans. Sie reckte ihre Nase ein wenig in die Höhe und stemmte die Hände in die Hüften. Sie würde sich von ihrem Plan nicht abbringen lassen, auch wenn sie alleine handeln müsste. So grässlich dieser Gedanke auch war.

David schaute sie durchdringend an. Cyrils Gesicht verschwand hinter seiner Tasse. »So lange wird der Schnee uns hier bestimmt nicht gefangen halten«, grummelte er irgendwann.

David fragte: »Ist das dein Ernst? Du willst erneut hinab in den Keller gehen und dort …? Was genau eigentlich?«

»Um es auf den Punkt zu bringen: Ich werde mir den Fundort von Conrads Leiche anschauen. Da keine Idee in meinem Kopf übrig ist, möchte ich dort herausfinden, wie wir hier herauskommen könnten.« Elisa zuckte mit den Schultern und streifte sich eine nicht vorhandene Haarsträhne aus ihrer Stirn. »Irgendetwas muss ich schließlich tun.« Elisa glaubte hinter sich eine Bewegung wahrgenommen zu haben und spähte über ihre Schulter. Niemand war zu sehen. Erleichtert, dieses Vorhaben vertraulich mit den Engländern besprechen zu können, biss sie sich sachte auf die Unterlippe. Sonst wollte sie niemanden dabei haben, sie vertraute von den anderen niemandem zu einhundert Prozent.

»In Ordnung, ich bin dabei.«

»Danke, David, das habe ich gehofft. Und du, Cyril?«

»Ich verzichte«, gab dieser zur Antwort, erläuterte jedoch nicht, was er stattdessen vorhatte oder weshalb.

Als David aufstand, beschwichtigte Elisa ihn, dass er zunächst gerne seinen Tee austrinken könne. »Lieber nicht, ansonsten überlege ich es mir am Ende noch einmal anders und schicke dich alleine in den Keller«, sagte er.

Elisa konnte sich nicht entscheiden, ob das ein Scherz war oder nicht, und ging einfach voraus. Allein der Gedanke daran, wohin ihr Weg sie führte und was dort unten geschehen war, ließ ihr die Beine weich werden. Ungelenk stieg sie die Treppe hinab und fragte: »Ist Cyril öfter so mürrisch am Morgen?«

»Willst du sagen, dass der Geist dort oben am Frühstückstisch sitzt? Keine Sorge, er ist meistens so, bis er seine zwei oder drei Tassen Tee getrunken hat.«

Tatsächlich war Elisa beruhigt. Dennoch kam ihr hier unten das Kerzenlicht dunkler als gewöhnlich vor. Auch die Wände wirkten bedrückend und die Luft roch abgestanden. Sie schob sich umständlich an einigen Gegenständen vorbei und lief den Weg, der sich ihr wohl für immer ins Gedächtnis gebrannt haben mochte. Am Fundort angekommen, blieb Elisa wieder wie angewurzelt stehen. Sie konnte sich nur deshalb überwinden, auf Conrads Leiche zuzugehen, da es ihre eigene Idee gewesen war und sie nun nicht kneifen wollte. Sie verfluchte sich selbst für diesen Vorschlag.

»Wollte sich Wendelin nicht um Conrad kümmern?«, fragte sie, ohne das Zittern ihrer Stimme bändigen zu können.

»Womöglich hat ihn der Mut verlassen.«

Kurz flackerte ein Bild aus ihrer Kindheit vor Elisas geistigem Auge auf: Sie war als junges Mädchen mit ihren Eltern und Geschwistern am Meer gewesen und hatte verkündet, nicht eher wieder zurückzufahren, bevor sie nicht einen Seestern gestreichelt hätte. Als ihr eines Tages ein sogar noch lebendiges Exemplar vor die Füße gespült wurde, hätte sie fast gekniffen. Um für ihren Vater aber nicht als Versagerin zu gelten – immerhin hatte sie ja die Dreistigkeit besessen, als Mädchen das Licht der Welt mit dem falschen Geschlecht zu erblicken – hatte sie ihre Scheu überwunden. Elisa sah es vor sich, als wäre es erst vor wenigen Tagen geschehen: Sie senkte ihren ausgestreckten Zeigefinger langsam dem fünfarmigen Tier entgegen. Kurz bevor sie es tatsächlich berührte, hielt sie inne und atmete tief ein. Dann stippte sie einen der Arme kurz an. Sie fühlte die überraschend feste und raue Haut des Meerestieres. Mutig geworden, streichelte sie ein wenig über die Unebenheiten und erfreute sich am Meeresbewohner und an ihrem eigenen Mut.

Nur ungern tauchte sie aus dieser süßen Erinnerung auf, aber jetzt galt es, sich der Gegenwart zu stellen. »Und nun?«, wollte David wissen, als hätte er ihren Tagtraum mit Absicht nicht unterbrochen.

Elisa rieb ihre Finger aneinander und beobachtete David. Zunächst wollte sie Conrads Anwesenheit ignorieren. Oder vielmehr die Anwesenheit seines toten Körpers. »Was fällt uns auf?«, fragte sie mit erstickter Stimme.

»Dass eine gewisse vorlaute Madame nicht einmal hinschauen möchte, während sie den Tatort untersucht.«

Es war nicht zu verleugnen. »Und sonst?«

»Auf dem Boden ist noch immer die Blutlache. Es ist eine Pfütze. Das Blut ist also aus seinem Kopf gesickert. Ich bin an dieser Stelle mit meinem Latein am Ende, Elisa.«

»Du hast recht, lass uns nach weiteren Blutspuren suchen. Vielleicht klebt etwas an dieser Wand hier, meine ich. Dann können wir sehen, von wo aus der Schlag Conrads Hinterkopf traf. Und vielleicht wissen wir dann, ob er seinen Mörder angesehen hat oder nicht.«

»Benennen wird er ihn wohl nicht mehr. Aber gut, so gehen wir vor, Miss Meisterermittlerin.«

Mit ihren Kerzen suchten sie einen kleinen Radius um Conrad herum ab. Elisa fand einige Tropfen an der Wand, schlauer wurden die beiden daraus allerdings nicht.

»Das war eine Sackgasse. Hast du sonst noch eine Idee?«, fragte Elisa und presste sich die Fingernägel in ihre Handballen, um ihre Ungeduld zu zähmen.

»Eine Tatwaffe müsste es noch geben. Und wenn wir uns die Wunde näher anschauen, dann erkennen wir vielleicht ungefähr, wonach wir suchen sollen.«

»David, das ist mir zu viel. Reicht es nicht, zu wissen, dass es etwas eher Stumpfes mit einer faustgroßen Fläche war? Ich werde den Anblick von gestern ohnehin niemals vergessen können. Und der Mörder hat diesen Gegenstand womöglich mitgenommen, sodass wir gar nicht imstande sind, die Mordwaffe zu finden.«

»Vielleicht hat der Mörder ja mit der Faust zugeschlagen?«, schlug David vor, der ebenfalls keine Anstalten machte, sich den Leichnam erneut zu betrachten. »Wenn der Geist Joseph oder Cyril übermenschliche Kräfte verliehen hat …«

»Dann müsste trotzdem einer der beiden durch die Wucht des Aufpralls eine Handverletzung haben. Ziehst du denn den Kreis der möglichen Täter nur um die beiden?«

»Offen gestanden, bin ich mir sehr sicher zu wissen, wer Conrad getötet hat. Ich glaube, dass Joseph wirklich nur vor vollendete Tatsachen gestellt wurde. Im Vertrauen: Cyril – natürlich besessen von diesem Geist – ist für mich der eindeutige Täter. Und bevor du fragst: Bei klarem Verstand würde Cyril niemals so etwas tun. Ich kenne ihn mein Leben lang und lege ohne zu zögern die Hand für ihn ins Feuer. So sagt ihr das hier doch, nicht wahr?«

»Damit bestätigst du meine Vermutung«, sagte Elisa.

»Wollen wir nun gehen? Immerhin haben wir es versucht.«

Elisa nickte zwar, konnte aber die Augen nicht von dem Eisenring nehmen, der ihr aufgefallen war, während ihre Augen vor Conrads Anblick geflohen waren. Ein Fass war so platziert, dass der Eisenring kaum herausschaute, und wenn sie sich nicht täuschte, war da ein Spalt im Boden. Elisa bat David: »Nur diese eine Sache noch.« Sie ging in die Hocke und spielte am Eisenring herum. Natürlich ließ er sich nicht aufheben, aber näher am Boden erkannte Elisa, was tatsächlich vor ihren Füßen verborgen war.

David kniete sich neben sie. Er berührte den Ring flüchtig, tastete dann den Spalt entlang und konstatierte: »Eine Falltür.« Entschlossen ruckte er ein wenig am Fass herum, das zur Tarnung dastand. »Und das Fass lässt sich ganz einfach wegschieben. Es ist leer und soll wohl nur die Falltür verbergen«, fügte er hinzu.

Keine Minute verging, ehe Elisa auf ihren Unterschenkeln saß und vornübergebeugt ihre Kerze in das Loch am Boden hielt. »Ich sehe nichts, außer einer steinernen Treppe und von Staub und Spinnenweben schmutzige Wände. Wohl ebenfalls aus Stein. Aber ich glaube, nicht gemauert. Der Tunnel scheint aus dem Stein herausgeschlagen zu sein.«

Auch David beugte sich über den Geheimgang. »Wer ihn wohl versteckt hat?«

Elisa musste nicht nachdenken. »Wendelin. Das Fass stand da gestern noch nicht, als wir uns alle bei Conrad eingefunden haben.«

»Kommst du mit? Ich will mir ansehen, ob der Weg in die Freiheit führt. Oder wo dieser Gang sonst endet.«

»Natürlich komme ich mit. Sollen wir den anderen Bescheid geben? Nicht dass jemand hinter uns die Klappe schließt.« Elisa konnte sich schon von innen in völliger Dunkelheit mit zersplitterten Fingernägeln und blutigen Kuppen an der Falltür kratzen sehen.

»Nicht nötig. Außer Cyril weiß niemand, dass wir hier unten sind. Und ich kann mir auch kaum vorstellen, dass sich noch jemand den Leichenfundort näher betrachten möchte.«

»Gut, dann nach dir, David. *Ladies first*, sagt ihr in England doch.«

David grinste breit, stieg in die Dunkelheit hinab und murmelte etwas von einem ziemlich losen Mundwerk seiner Begleiterin. Als Elisa hinabkletterte, erleichterte Davids Kerze ihr die Prozedur. Hier unten fiel ihr auf, dass die Luft zwar kühler und feuchter war, aber auch etwas frischer roch als im Keller über ihnen. Schweigend folgten sie dem leicht nach rechts gebogenen Verlauf des Tunnels.

Nach ungefähr fünfzehn Metern blieb David stehen und Elisa wäre beinahe gegen sein Rückgrat geprallt, weil sie in die Struktur der Wände vertieft gewesen war. »Er teilt sich«, stellte David fest.

Elisa trat neben ihn und blickte abwechselnd in die Gänge, die für sie identisch aussahen. »Du folgst dem rechten und ich dem linken Gang, in Ordnung?« Auf Davids skeptischen Blick hin ergänzte sie: »Zumindest ein Stückchen weit. Dann treffen wir uns gleich wieder und können beratschlagen, wie es weitergehen soll.«

Ohne lang eine Antwort abzuwarten, lief Elisa los. Sie ging ein paar Schritte weiter und bemerkte, dass die Decke schon tiefer hing als noch zuvor. Zum ersten Mal, seit sie im Gasthof angekommen war, fühlte sie sich richtig alleine. Schweiß brach ihr aus, obwohl sie in der kühlen Luft fröstelte. Als linker Hand ein Weg abging und sie in kurzer Entfernung im spärlichen Licht erahnen konnte, dass auch vor ihr der Weg sich verzweigen würde, beschloss sie umzukehren.

Elisa bedauerte es beinahe, dass ihr einsames Abenteuer in den geheimen Tunneln unter dem Waldgasthof von so kurzer Dauer war. Allerdings war sie auch erleichtert, dass sie nun, ohne eine böse Überraschung erlebt zu haben, bald nicht mehr alleine sein würde. Sie schlenderte den Weg zurück, den sie gekommen war. Durch ihre sachten Schritte und die verminderte Konzentration auf die neue Umgebung drang ein Geräusch an ihr Ohr. *Klingt das wie ein Krächzen oder wie ein Schluchzen?*, fragte sie sich und blieb ein paar Herzschläge lang stehen. *Bestimmt nur ein kleines Tier. Oder meine Fantasie spielt mir hier unten einen Streich, was nicht verwunderlich wäre.* Der kleine Schreck war so schnell verdaut, wie sie an die Stelle kam, wo sie sich mit David wieder treffen wollte. Allein in den Gängen fühlte sie sich verletzlich, als könnten tausend Augen sie aus der Dunkelheit beobachten. Ihre Gänsehaut würde sie allerdings erfolgreich vor David verbergen. Sie hoffte, dass er bald zurückkehren würde.

Da sie nichts anderes mit sich anzufangen wusste, richtete sie ihr Kleid mit ihrer freien Hand, in der sie keine Kerze hielt. Sie klopfte den Staub ab, ordnete die Falten und zog die Ärmel straff. Bevor sie sich auch ihrer Frisur hätte annehmen können, erkannte sie im rechten Tunnel einen dezenten Lichtschein, der ihr verkündete, dass David gleich zu ihr stoßen würde.

»Elisa?«

»Ich bin hier.«

Er trat um die letzte Biegung in ihr Blickfeld. »Was hast du gefunden?«

»Mehrere Abzweigungen.«

David erschien vor ihr und nickte. »Bei mir auch. Ein verdammtes Labyrinth. Es spalten sich immer mehr und mehr Wege ab. Ich glaube, hier kommen wir nicht weiter.«

Elisa war der Kälte überdrüssig und schlug vor, zurück zu den anderen zu gehen. Dort wollte sie endlich ein verspätetes Frühstück zu sich nehmen – sofern sie den Verwesungsgeruch wieder komplett aus der Nase hatte –, sich am Kaminfeuer wärmen und in Ruhe darüber nachdenken, welche Informationen sie überhaupt gewonnen hatten. David widersprach nicht, sondern folgte ihr und half ihr, an der Falltür wieder hinauszuklettern. Das Fass stellten sie zurück an Ort und Stelle, sodass keine Zeichen von ihrer Erforschung zurückblieben. Man konnte schließlich nicht immer im Vorfeld wissen, wozu ein wenig Geheimniskrämerei noch von Nutzen sein würde.

An der Tür, die aus dem Keller hinaus zurück ins Erdgeschoss führte, wurden sie von Wendelin abgefangen. »Wo wart ihr?« Seine Worte klangen wie ein Peitschenknall. Um sie abzumildern, fügte er hinzu: »David, du warst so plötzlich verschwunden und Cyril hat sich nur etwas von wegen ›Irrsinn‹ entlocken lassen. Dass er plötzlich kein Deutsch mehr spricht, kam mir sehr seltsam vor.«

»Wir haben uns von Conrad verabschiedet«, flunkerte David.

Wendelin bemerkte anscheinend nichts von der Lüge, er legte zumindest eine betroffene Miene auf, die sich sogleich in Ratlosigkeit verwandelte, als lautes Scheppern aus der Küche zu hören war.

Marias Schreie gingen Elisa durch Mark und Bein. »Nein! Weg von mir!«, rief Maria mit sich überschlagender Stimme.

Wendelin zögerte nicht. Er eilte in Richtung Küche und hatte den halben Weg bereits zurückgelegt, bevor Elisa und David sich überhaupt von der Stelle bewegen konnten. Als schließlich auch die beiden dort eintrafen, wurden sie Zeuge einer unwirklich anmutenden Situation: Wendelin hielt Maria im Arm, die sich den Kopf rieb. Auf dem Boden lagen Töpfe und Pfannen verstreut. Es herrschte sogar Unordnung in den Regalen. Am anderen Ende der Küche stand Joseph mit einem Messer in seiner erhobenen Hand.

Cyril hielt eine große Pfanne vor sich, mit der er seinen bewaffneten Opponenten in Schach hielt.

»Joseph, was hast du vor?«, wollte David entsetzt wissen. Er wartete keine Antwort ab, sondern ergriff ebenfalls das nächstbeste Messer, ein Brotmesser, und ging auf Joseph zu.

Das blutige Szenario, das sich in Elisas Kopf schlich und Realität zu werden drohte, verscheuchte sie, indem sie ihre Aufmerksamkeit auf die aktuellen Geschehnisse richtete. Joseph brach in Gelächter aus, das sich wie das melodische Knurren eines tollwütigen Wolfes anhörte. Elisa hielt sich erschrocken die Hand vor den Mund, um nicht aufzuschreien. Sie war sich absolut sicher zu wissen, was hier vor sich ging. Ihr Herz pochte so wild in ihrer Brust, dass sie ihre zum Mund erhobene Hand sinken ließ und sie in unbewusster Geste sich besänftigend auf die Brust über ihr Herz legte.

Mit fremder Stimme sprach Joseph: »Dass du mich überhaupt bei diesem Namen nennst! Aber ihr habt meinen Hinweis entschlüsselt und den Tunnel gefunden, bei dem ich den Alten umgebracht habe. Immerhin das. Wie gefällt euch das Labyrinth? Sollte zu meistern sein, wenn man es wirklich darauf anlegt.«

»Wovon spricht er?«, wollte Cyril wissen und ließ seine Pfanne ein kleines Stück sinken.

Josephs vom Geist gesteuerter Körper griff daraufhin mit zwei ungezielten Hieben an. »Umbringen sollte ich euch alle! Damit es euch wie mir ergeht. Wendelin, Maria, ihr jedoch dürft euch meiner Rache gewiss sein. Maria, wie konntest du wegsehen, während Wendelin mein Schicksal besiegelte?« Daraufhin begann Joseph zu wanken, aber noch bevor Elisa glaubte, dass er umfiele, blieb er erstarrt stehen und rieb sich die Augen. Verwundert blinzelte er. Joseph blickte sich in der Küche um. Er schaute von dem Messer in seiner Hand zu Cyrils Pfanne und Davids Brotmesser. »Was ist geschehen?«, verlangte Joseph atemlos zu wissen. Der Ausdruck in seinem Gesicht zeugte davon, dass er eine grässliche Vermutung hatte, deren Bestätigung er gar nicht hören wollte.

»*Congratulation!* Nun bist auch du der Kontrolle des Geistes erlegen«, sagte Cyril und warf seine Pfanne polternd hinter sich. »Von welchem Labyrinth hat er gesprochen?«, wollte er von seinem Freund wissen.

David erzählte allen von Elisas und seinem Fund. »Als Ausweg würde ich es allerdings noch nicht bezeichnen«, fügte sie hinzu, »denn dafür gibt es viel zu viele Abzweigungen, denen wir noch nicht gefolgt sind.«

»Das lässt sich ändern. Hier will ich nicht eine unnötige Sekunde länger bleiben«, erklärte Joseph, dessen Kontrollverlust über den eigenen Körper ihm offensichtlich zu schaffen machte. Immer wieder rieb er sich über die Unterarme, als würde er Schmutz abwischen. Er schüttelte daraufhin sogar die Hände aus.

Elisa teilte Josephs Bedürfnis, nicht länger im Waldgasthof festsitzen zu wollen. Wobei sie die Einschränkung machte, dass nicht mehr die Freiheit ihre oberste Priorität hatte. Nachdem sie den wütenden Geist selbst erlebt hatte, war ihr bewusst geworden, dass sie alles daransetzen musste, zu überleben. Sie wollte nicht das Opfer seiner Rache werden, obwohl sie sich nichts zuschulden hatte kommen lassen. Hierfür galt es nicht nur, Vorsicht im Umgang miteinander walten zu lassen, sondern auch einen Ausweg aus dem Inklusorium zu finden. »Und was ist hier in der Zwischenzeit passiert?«, fragte Joseph. Elisa fiel die Art seiner Frage danach auf, was geschehen war, und nicht, was er getan hatte. Falten der Verzweiflung zeichneten sich auf seiner Stirn ab.

Als Joseph kurze Zeit darauf im Bilde war, war es Elisa ein Anliegen, weitere dringende Aspekte zu erörtern. »Nicht nur die Frage des Entkommens ist zu klären. Der Geist sprach von einer Rache an euch, Maria und Wendelin. Was habt ihr damit zu tun? Ihr seid uns endlich eure Aufrichtigkeit schuldig!«

»Wendelin, es stimmt, was sie sagen«, gab Maria mit hängenden Schultern zu. »Wir müssen es ihnen erzählen. Alles, was wir wissen. Und wir müssen mit den Konsequenzen leben.«

»Keinem ist geholfen, wenn wir diese alten Märchen erzählen. Weißt du, was du da sagst, Liebes?«

»Wendelin, wir schulden ihnen die Wahrheit. Es ist genug jetzt. Lasst uns alle erst einmal Platz nehmen.«

In Elisa begann es zu kribbeln. Sogar heftiger noch als sonst, wenn sie vor der Enthüllung eines Geheimnisses stand. Sie fühlte sich, als würde sie gleich durch ein Schlüsselloch schauen können und endlich dem auf den Grund gehen, was schon seit Tagen immer andeutungsweise in der Luft hing und nicht in das Gesamtbild ihrer Gastgeber passte.

8. Kapitel

»Was ist es denn nun, das ihr uns erzählen müsst? Warum spukt es hier? Und weshalb ist dieser Geist auf Rache aus?« Davids Fragen klangen danach, als wäre er ebenso neugierig geworden, wie Elisa es war.

»Ich schäme mich sehr, das alles zugeben zu müssen«, begann Maria. »Es fällt mir nicht leicht, aber ich muss euch etwas erzählen, das vor inzwischen gut fünf Jahren stattgefunden hat und bis heute seine Folgen nach sich zieht. Wenn auch niemals zuvor in dieser erschreckenden Weise.«

Wendelin unterbrach seine Gattin: »Liebes, wenn du möchtest, erzähle ich ihnen, was wir getan haben. Was ich getan habe.«

Maria nickte und sank im Stuhl zurück. Elisa musste sich sehr zurückhalten, nicht im Raum auf und ab zu gehen. Dieses kuriose Verhalten wollte sie nun endlich entschlüsselt haben.

Wendelin blieb noch kurz still und starrte in die Luft. Er kramte in Erinnerungen oder formulierte die Vergangenheit, Elisa wusste es nicht. Endlich fand er zu Worten und erzählte aus der Vergangenheit des Waldgasthofes.

**** Was vor einigen Jahren im Waldgasthof geschah ... ****

»Weißt du, es geht ihm wirklich schlecht«, sagte Maria und biss sich auf die Unterlippe. Sie war es nicht gewohnt, ihrem Gatten zu widersprechen. Aber offensichtlich wollte er die Wahrheit in diesem Fall nicht erkennen. »Sollen wir nicht wenigstens einen Arzt kommen lassen?«

»Dann erkennt Berthold selbst in seinem Zustand, dass wir nicht mehr eingeschneit sind, und lässt sich womöglich mit der Kutsche wegbringen.« Sein harscher Tonfall ließ Maria erstarren.

Sie holte tief Luft, fand genügend Mut und widersprach ihrem Ehemann ein letztes Mal: »Wendelin, wir spielen mit seinem Leben. Wir werden bestimmt bald noch andere Gäste begrüßen können, an ihm hängt nicht unser Erfolg.«

»Wir geben jetzt nicht auf! Jeder Gast zählt. Maria, er hat eine kleine Grippe, ein bisschen Fieber, es wird ihn schon nicht dahinraffen. Wir kümmern uns doch gut um ihn. Er bekommt von deiner Hühnerbrühe, die hat noch jede Krankheit im Nu vertrieben! Er ist unser bester Stammgast, so häufig wie er nächtigt hier niemand sonst. Ich will, dass er das bleibt.« Von oben war die Glocke des Erkrankten zu hören und das Geräusch ließ Wendelin innehalten. »Ich sehe nach, wonach er verlangt.« Er stieg die Treppe hinauf und hörte Maria etwas murmeln, das wie »Gefangenenhof« statt wie »Gasthof« klang.

Kurz klopfte Wendelin mit dem Zeigefingerknöchel gegen die Tür und öffnete sie, ohne eine Antwort abzuwarten. »Wie geht es Ihnen, Herr Enzrich?«, fragte er.

Der Angesprochene röchelte und hustete erst einmal erbärmlich und ausführlich. Anschließend japste er nach Luft. Wendelin wartete geduldig. »Herr Idemann, bitte, einen Doktor. Und Wasser.«

›Bitte, einen Doktor‹, das kannst du vergessen, Freundchen!, dachte Wendelin. *Du Ginkel, glaubsch, ich bin bleed?* Er gab Berthold Enzrich löffelweise Wasser und betrachtete seinen unfreiwilligen Gast dabei näher. Hass loderte in ihm auf. Wie diesem Schwächling das Wasser über das Kinn lief, ließ ihn sich fest auf die Zähne beißen. Wendelin rang um Fassung und verbarg das Zittern seiner Hände, dabei grübelte er, ob Maria eventuell doch recht hatte.

Herr Berthold Enzrich, der ungefähr fünfzigjährige Stammgast, hatte eine blasse, wächserne Haut. Seine Lippen waren blutleer und seine Augen wirkten eingefallen. Es ging ihm gar nicht gut. Fieber hatte ihm Schweißperlen auf die Stirn getrieben, die unappetitlich im Kerzenlicht glänzte. Aber Wendelin brachte es nicht über sich, ihn gehen zu lassen. Aus Prinzip hielt er an jedem seiner Gäste fest, bis es nicht länger möglich war.

Diesen Herbst und Winter hatten gerade einmal acht Menschen seinen Gasthof besucht. Abgesehen von Herrn Enzrich, der schon seit vielen Jahren immer wieder und recht häufig kam, kehrte niemand mehr in diese Herberge zurück, wenn er sie einmal aufgesucht hatte. Nur Herr Enzrich lobte die erholsame Natur und die freundliche Unterkunft; alle anderen Gäste rümpften hingegen meist schon vor ihrer ersten Nacht die Nase, obwohl sie selbst oftmals einfache Leute waren, die keinesfalls nur aus edler Herkunft stammten. Händler und Reisende suchten eine günstige, weniger eine komfortable Unterkunft, die er ihnen gerne bot.

In seiner Vorstellung führte er einen Gasthof, in dem sich die Gäste geradezu drängten. Wenn er und seine Frau den Waldgasthof weiterführen und sich nicht in Freudenstadt oder noch weiter entfernt eine Arbeit beispielsweise in einer Fabrik suchen wollten, mussten sie um jeden Gast kämpfen. Sie mussten alle so lange wie möglich bei ihnen bleiben. Wendelin wollte sein Erbe, seinen eigenen Lebenszweck, nicht aufgeben. Sein toter Vater, dessen wahre Zuneigung er ohnehin niemals geschenkt bekommen hatte, würde sich angewidert von ihm abwenden, wenn er noch unter ihnen weilte. So, wie er es in Wendelins Kindertagen nur hinterrücks getan hatte, wenn der junge Bursche es wieder einmal seinem Vater nicht hatte recht machen können. Wendelin, der hier aufgewachsen war, wollte hier dereinst auch sterben. Nachdem Herr Enzrich genügend Wasser eingeflößt worden war, gab Wendelin dem Kranken Bescheid, dass er eine stärkende Hühnerbrühe von Maria holen gehe.

»Maria. Maria«, flüsterte der Angesprochene und Wendelin war sich nicht sicher, ob er zur Mutter Gottes betete oder im Delirium von seiner Frau sprach. Wieder brodelten Gefühle in ihm auf, derer er sich geschworen hatte, Herr zu bleiben.

Als Wendelin bei Maria die Hühnerbrühe holte, hielt sie ihn am Arm fest und fragte: »Hat er wieder nach einem Arzt verlangt? Wie geht es ihm?« Wendelin nickte und

Maria presste die Lippen aufeinander. Sie seufzte dem Rücken ihres Gatten zu. Wendelin wunderte sich nicht darüber, denn er hatte es längst bemerkt, er war weder blind noch dumm, auch wenn Maria ihn für beides halten musste. Er hatte bemerkt, wie wichtig Herr Enzrich – einmal hatte er Maria ihn ›mein Holdi‹ nennen hören – ihr geworden war, wie sie sich um ihn sorgte. Und dass der Sohn jenem langjährigen Stammkunden zunehmend ähnlich sah, auch das war Wendelin über die Jahre immer deutlicher geworden. Seine Wut, Enttäuschung und all seine Gefühle verbarg er seither in sich, um Maria nicht ganz zu verlieren und mit ihr den letzten Rest, der den Waldgasthof noch gemütlich machte. Wenn er in manchen Nächten wach lag und dem Lied der Grillen lauschte, dachte er an seine eigenen Geheimnisse, die er tief begraben hatte, und schöpfte daraus ein klein wenig Frieden.

Am nächsten Tag wiederholte sich das Schauspiel. Herr Enzrich krächzte: »Doktor! Wasser!« und Wendelin brachte ihm unter Marias vorwurfsvollen Blicken die Hühnerbrühe. Als Wendelin jedoch am Abend nach seinem unfreiwilligen Gast schaute, war dieser besinnungslos. Schweißgebadet und gleichzeitig zitternd lag er mit heißer Stirn im Bett. Wendelin bekam ihn nicht geweckt, so sehr er auch die eine oder andere festen Ohrfeige auf Enzrichs Wange genoss.

»Maria, ich reite los und hole den Doktor«, beschloss Wendelin, der nun endlich ebenfalls davon überzeugt war, dass die Krankheit seines Gastes ernsthafte Ausmaße angenommen hatte. Dass er diesen Mann nicht sterben lassen konnte, war ihm bewusst.

Nach einem strammen Ritt erreichte er den Doktor, der ihn sogleich auf seinem eigenen Pferd begleitete. Binnen einer Stunde kehrte er zurück zum Waldgasthof, obwohl auf den Wegen eine beachtliche Schneedecke lag. Als käme es auf Sekunden an, stürzte er die Treppe hinauf und riss die Tür zum Krankenzimmer auf.

Zuerst bemerkte er Maria: Sie stand neben Herrn Enzrichs Krankenlager und wrang sich die Hände, als versuchte sie, Gefühl in sie hineinzukneten. Ihr Gesicht, von dem sich die geröteten Augen schier gespenstisch abhoben, war kreidebleich. Die dünne Linie ihrer Lippen bedeutete nichts Gutes. Sie begegnete seinem Blick nicht. Wendelin rutschte das Herz in die Hose.

»Dies ist also der Patient«, wollte der Doktor wissen und Wendelin hätte ihn beinahe durch ein »war« berichtigt, so verstört, wie Maria wirkte.

»Ja, bitte sagen Sie uns, was wir tun können«, sagte Wendelin.

Maria fügte hinzu: »Herr Doktor, ich fürchte … « Wovor Maria sich fürchtete, kam nicht mehr zur Sprache. Sie bracht abrupt ab. Anstatt zu Ende zu sprechen, zupfte sie am Vorhang herum, als hinge Enzrichs Leben davon ab, dass dieser korrekte Falten schlug.

Der Herr Doktor beugte sich zu Herr Enzrich hinab, legte den Kopf einmal schief und fühlte nach einem Herzschlag. Anschließend gab einen bedauernden Laut von sich. »Tststs, diesem Mann ist nicht mehr zu helfen. Er ist verschieden. Gott sei seiner Seele gnädig.«

»Es war doch nur ein Fieber«, rief Wendelin aus und fügte deutlich leiser hinzu: »Oder hatte er gar etwas Schwerwiegenderes?«

Maria legte den Kopf schief. *Ahnt sie etwas?*, fragte sich Wendelin. Mit zittrigen Fingern lockerte er seinen Kragen. Selbst als er Herrn Enzrichs Bier vergiftet hatte, waren seine Hände ruhiger geblieben. Und mit jedem Mal, als er ihm sein mit Gift versetztes Wasser gegeben hatte, war Wendelin ruhiger geblieben. Eine niedrige Dosis hatte er gewählt, damit Maria nicht durch einen plötzlichen Tod Verdacht schöpfte, sondern seine fingierte Krankheit miterlebte und als solche auffasste. Dass Enzrichs Leben ihm nun doch so schnell durch die Finger geglitten war, behagte Wendelin nicht im Geringsten.

»Gewiss ist er einem Fieber erlegen. Die Gefahr einer Ansteckung liegt hier nicht vor. Hätte man mich allerdings zu einem früheren Zeitpunkt hinzugezogen … «, antwortete der Herr Doktor und ließ seinen letzten Satz ins Leere laufen, verkniff sich jedoch nicht einen herabwürdigenden Blick, unter dem sich Wendelin und Maria wanden.

Schnellstmöglich war der Herr Doktor verabschiedet und der Pfarrer zur Letzten Ölung gerufen. Aufatmen konnte das Gasthausehepaar erst, als der Leichnam zum Haus hinausgetragen war.

»Was haben wir nur getan?«, fragte Maria in dieser Nacht wieder und wieder, bis Wendelin befürchtete, sie habe den Verstand verloren. Er wusste, woher die Flut ihrer Tränen rührte, brachte es jedoch nicht zur Sprache. *Mein Problem wäre damit beseitigt. Früher zwar, als beabsichtigt, aber dennoch ist Maria wieder vollends mein,* glaubte Wendelin. Am nächsten Tag wollte er sich bei ihr für seinen Starrsinn entschuldigen, aber sie bat: »Lass uns kein Wort mehr darüber verlieren. Niemals. Sonst kann ich mit der Schuld nicht leben.«

»Liebes, dich trifft doch keine Schuld.«

Doch Maria blickte ihm in die Augen. Und plötzlich verstand Wendelin, dass sie beide alles wussten. Sie wusste, dass ihre Liebschaft mit Berthold ihm das Leben gekostet hatte.

*** *1846* ***

Elisa schaute reihum in betretene Gesichter. Sie wusste ebenfalls nicht, was sie zu diesem Vergehen sagen sollte. Im Hintergrund flackerte das Kaminfeuer heimelig, aber am Tisch saßen aufgewühlte Menschen.

Marias Augen schwammen in Tränen. »Gift also?«, hörte Elisa sie mehrmals murmeln. Sie hatte sich in ihre Erinnerung zurückgezogen. Elisa wagte es nicht, sie zu stören, denn der Beistand, den sie bieten konnte, vermöchte Maria nicht zu helfen.

Cyril fragte: »Und woher wisst ihr, dass es gerade dieser Herr Enzrich ist, der seine Rache übt?«

Maria seufzte, wischte sich über die Wangen und sprach: »Euch ist gewiss bereits das verschlossene Zimmer aufgefallen. Nicht? Wenn man die Treppe hinaufgeht, dann ist das direkt die rechte Tür. Mit jenem Gästezimmer haben wir seither Probleme. Jeden Morgen ist das Bett zerwühlt. An den Fensterscheiben sind blutige Handabdrücke und der Tisch samt Stühlen ist umgeworfen. Sollte man es nächtens betreten – und bei Gott, das habe ich nur ein einziges Mal gewagt – dann kann man ein Röcheln und Stöhnen hören, dass einem die Haare zu Berge stehen. Grausigere Geräusche kann man sich nicht vorstellen. Ich habe das

Zimmer zuletzt vor einigen Monaten geputzt und seither nicht mehr betreten.«

David nickte mit faltengefurchter Stirn. »Ich will da heute Nacht hinein.«

»Was sollte dir das nützen? Warum willst du dir das antun?«, fragte Maria. Ihr Gesicht verlor noch mehr Farbe, als es durch Wendelins Erzählung ohnehin schon eingebüßt hatte.

»Ich komme mit«, beschloss Elisa. Sie biss sich auf die Lippen. *Woher kommt dieser Mut? Ich muss einfach dabei sein*, dachte sie. Elisa verstand Davids Beweggründe und erläuterte sie für Maria, noch bevor er selbst Gelegenheit dazu gehabt hätte: »Weil er so eventuell Kontakt zu Herrn Enzrich aufnehmen kann. Der Geist stellt eine Gefahr für uns alle dar. Vielleicht lässt sich diese so abwenden. Ich komme jedenfalls mit!«

»Ich auch«, beschloss Cyril.

Joseph murmelte: »Lächerlicher Irrsinn.«

David ignorierte Joseph, nickte Cyril zu, aber zu Elisa sagte er: »Das ist viel zu gefährlich. Das ist Männersache.«

»Das werden wir sehen«, widersprach Elisa, reckte ihr Kinn und ließ sie alle stehen. So würdevoll, wie es ihr möglich war, schritt sie die Treppe empor.

»Wo willst du hin?«, rief David ihr nach.

»Es wird Zeit, mit Theresia zu sprechen. Sie soll aufgeklärt werden. Mir war sie viel zu lange still. Auf mein Klopfen hat sie kein einziges Mal reagiert. Theresia hat mich nicht einmal weggeschickt.«

9. Kapitel

»Theresia, so mach doch endlich die verdammte Tür auf!«, rief Elisa, klopfte weiter mit ihrer bereits schmerzenden Rechten an die Tür und schwor sich, nicht eher aufzugeben, bis sie Theresia selbst gesehen oder zumindest gehört hatte. »Theresia, kein Mensch kann bei diesem Lärm schlafen, also öffne bitte für einen kurzen Moment die Tür.« Elisa nahm die Linke dazu, steigerte ihr Klopfen somit zu einem Hämmern.

Allmählich schlich ihr die Angst den Rücken empor, dass hinter der Tür ein weiterer Leichnam bis zu seiner Entdeckung ausharrte. Aber was konnte Theresia geschehen sein? War der Streit mit Joseph eskaliert und er hatte ihr etwas angetan? Oder war Herrn Enzrichs Geist in Josephs Körper zum Mörder geworden? Und wusste überhaupt Joseph davon? *Langsam!*, schalt sich Elisa. *Vielleicht ist alles in Ordnung, die Stille muss nicht bedeuten, dass Theresia nicht mehr lebt.*

Als Elisa schließlich beide Hände wehtaten, legte sie die Seite ihres Kopfes samt Ohr an die Tür, um zu horchen, ob von drinnen Geräusche zu vernehmen waren. Nichts konnte sie hören. Kurz überlegte Elisa, ob sie mit dem Fuß gegen die Tür treten sollte, ließ das jedoch lieber bleiben.

Elisa schlug mit den flachen Händen gegen die Tür und rief: »Theresia!« Erschrocken fuhr sie zusammen, als ihr jemand auf die Schulter tippte. Es war ein grimmig blinzender Joseph, den sie durch ihren eigenen Lärm nicht die Treppe hatte hinaufkommen hören.

Auch die anderen kamen die Treppe herauf, um dem Geschehen mit neugierigen Mienen zu folgen.

»Was ist?«, wollte Elisa wissen, der jegliche Geduld abhandengekommen war. Schwer atmete sie aus und ließ die Schultern sacken. Sie ballte ihre Fäuste und stemmte sie in die Hüfte. »Nun sag schon, Joseph, was geht hier vor?«

Sie bekam zunächst keine Antwort. Joseph studierte die Decke, als stünden dort die Worte, die er vergeblich in seinem Kopf suchte. »Theresia ist nicht dort drinnen«, erklärte Joseph endlich unumwunden.

Nach dieser Aussage sackte Elisa in sich zusammen und hörte zum ersten Mal, seit sie dort stand, auf, wieder und wieder zur Tür zu schauen. »Das kann nicht dein Ernst sein. Sie wollte sich doch ...«

Joseph schloss die Tür auf und bat Elisa, sich selbst davon zu überzeugen, dass Theresia sich nicht im Zimmer befand. Sie trat ein, schaute sich um und tatsächlich war Josephs Ehefrau nirgendwo zu sehen. Der Raum war leer. »Das musst du erklären, Joseph«, forderte sie, kaum war sie zur Tür wieder hinausgetreten. »Wo befindet sich Theresia? Was ist mit deiner Ehefrau geschehen?«

Josephs Gesicht war grauer als zuvor. Selbst grauer als in dem Moment, als er erfahren hatte, dass der Geist seinen Körper übernommen hatte. Er lehnte sich mit dem Rücken an die Wand neben der Tür und stützte sich mit den Händen auf seinen Knien ab. »Sie … Also … Ich habe sie ... verloren«, druckste er herum. Er atmete so schwer, dass Elisa glaubte, er würde gleich einen Anfall erleiden, aber sie ging nicht darauf ein. Sie wollte endlich eine Erklärung über Theresias Verbleib bekommen. Am liebsten hätte sie ihn an den Schultern ergriffen und die Antwort aus ihm herausgeschüttelt.

»Wie, du hast sie verloren?«, verlangte Maria zu erfahren.

»Ist ihr etwas zugestoßen? Meinst du mit ›verloren‹, sie ist gestorben?«, wollte David wissen.

Joseph rutschte ein Stück tiefer die Wand hinab. »Nein. Vielmehr, ich weiß es nicht. Sie ist einfach verschwunden. Ich habe meine eigene Frau verloren.«

»Wann?«, fragte Elisa und fürchtete, die Antwort zu kennen.

»Schon lange. Ich habe dich klopfen und nach ihr fragen hören, konnte aber nichts sagen. Ich habe es vertuscht, weil ich mein Versagen als ihr Gatte nicht eingestehen wollte. Ich hatte gewiss keine bösen Absichten! Sie hätte keinen schlechteren Mann ehelichen können und dieser Blamage wollte ich mich vor euch allen nicht stellen.«

»Wer hat dich dann angegriffen?«, fragte Cyril.

»Das war eine dumme Idee, ich gebe es ja zu. Aber mir kam der Gedanke und schon war es geschehen. Ich hätte nicht gedacht, dass es derart schmerzt, wenn man sich ein Buch gegen den Kopf schlägt.«

»Joseph, du kannst nicht nur über dich selbst reden! Wir müssen sie suchen! Vielleicht versteckt sie sich? Vielleicht hat sie sogar gesehen, wie Conrad gestorben ist. Sie muss sich ja irgendwo befinden. Wir müssen alles durchkämmen. Wer weiß, wie es ihr inzwischen geht«, verlangte Elisa.

In kürzester Zeit waren drei Suchtrupps zusammengestellt. Wendelin und Maria suchten gemeinsam, ebenso David und Elisa sowie Cyril und Joseph. Suchgebiete teilten sie nicht auf, sondern sie arbeiteten sich mehr oder weniger parallel von oben bis in den Keller durch.

Elisa bekam am Rande mit, dass Joseph immer hektischer und verzagter wurde. Er stieß Gegenstände um und plapperte unzusammenhängende Dinge. Als auch im Keller noch keine Spur von Theresia zu finden war, verstand Elisa seine Sorge. *Es kann doch nicht möglich sein, dass sie wie vom Erdboden verschwunden ist!*, dachte sie.

David nahm Elisa beiseite und flüsterte: »Womöglich hat sie die Falltür vor uns gefunden. Noch bevor sie mit dem Fass versteckt wurde. Lass uns noch einmal in den Gängen nachsehen. Vielleicht hat sie sich dort verirrt. Und ist dir eigentlich aufgefallen, dass Wendelin in seiner Geschichte nichts über die Falltür und die Gänge unter dem Keller verlauten ließ?«

»Du hast recht! Ich war von dem Mord an Herrn Enzrich zu sehr abgelenkt. Er hat es geschafft, dass keiner mehr nachfragt, obwohl das Labyrinth der Auslöser der Erzählung war. So ein durchtriebener Mann.« Elisa gefiel Davids Vorschlag, in den Gängen nach Theresia zu suchen.

Rasch wurden auch die anderen auf ihr Vorhaben aufmerksam. Sie teilten sich so auf, dass möglichst viele Gänge abgedeckt waren, aber jeder die Orientierung behielt. Da es mehr Abzweigungen als Suchende waren, wollte man sich zuerst links halten und anschließend nach und nach auch die weiter rechts gelegenen Gänge absuchen. Allzu weit wollte sich sicherheitshalber niemand, abgesehen von Joseph, vorwagen und eine gute Stunde verging, in der Elisa hoch konzentriert durch die Gänge lief. Zwar immer nur ein kleines Stück weit hinein, sodass sie mit den anderen mehr oder weniger in Rufweite blieb, aber dennoch fühlte sie sich einsam wie nie. Beinahe wie lebendig begraben. Das Gefühl konnte sie wie beim ersten Mal dort unten nicht abschütteln. Die Dunkelheit quetschte ihr die Luft aus den Lungen. Die Kerze, die sie verkrampft in der Hand hielt, war ihr Rettungsanker. Mit bangen Blicken versicherte sich Elisa immer wieder aufs Neue, dass die Flamme emsig das Wachs verzehrte und nicht zu verlöschen drohte.

Während sie erneut vor einer Weggabelung stand und sich nicht sicher war, ob sie den linken Weg bereits abgesucht hatte, hörte sie Cyril rufen. Seine Worte konnte Elisa zwar nicht verstehen, aber dem Getöse, das er veranstaltete, entnahm sie, dass er Theresia – tot oder lebendig – gefunden haben musste.

Sie machte sofort kehrt und dachte nicht daran, die Stelle zu markieren, zu der sie vorgedrungen war. Ihr Herz raste, während sie den Tunneln folgte, die sie für den Rückweg hielt. Die Stimmen der anderen wurden lauter. Ihre Hände begannen zu zittern, so sehr war sie gespannt, was vorgefallen war. Elisa konnte es zudem kaum mehr erwarten, die Einsamkeit hinter sich zu lassen.

Elisa traf als Letzte an der Falltür ein und fragte sich, ob dies bedeutete, dass sie sich am weitesten hinein ins Tunnelsystem gewagt hatte oder ob sie sich schlichtweg zwischenzeitlich verirrt hatte, ohne es zu bemerken.

Diese Gedanken wurden in den Hintergrund gedrängt, als sie sah, dass Theresia in fester Umarmung ihres Mannes dastand. Erleichterung machte sich in ihrer Brust breit und ließ Elisa zum ersten Mal wieder frei atmen. Sie freute sich, dass die junge Frau äußerlich unverletzt überlebt hatte, und verkniff sich durch schnelles Blinzeln ein paar Freudentränen. Während alle anderen Theresia mit Fragen bestürmten, hielt Elisa sich damit zurück, da sie sie nicht überfordern wollte und ohnehin die wichtigsten beiden Fragen bereits gestellt waren: Wo war sie so lange gewesen und was hatte sie in dieser Zeit erlebt?

»Nun lasst das arme Kind erst einmal zu sich und zu Kräften kommen«, schimpfte Maria und forderte, dass man sie etwas essen und trinken ließe, während sie geschäftig um die Wiedergefundene herumlief. Sie wischte hier und dort ein paar Staubflecke von ihrem Kleid weg, zupfte an Theresias Frisur herum und fand allerlei weitere unnötige Tätigkeiten, die Theresia nicht beachtete.

Theresia wurde unter großem Getue nach oben gebracht und an den Tisch gesetzt. Ihre Hände zitterten unaufhörlich und ständig blickte sie sich um. Ihr fahles Gesicht war zerkratzt. Ihre Haare waren fettig und verfilzt. Offensichtlich hatte sie einen Überlebenskampf ausgetragen.

Nach schier endlosen Minuten des Wartens hielt Joseph es nicht mehr aus und wiederholte immer wieder die Fragen, die seiner Frau bereits gestellt worden waren. »Warum bist du dort hinuntergegangen? Wie geht es dir? Was ist passiert?«

Kein einziges Wort drang aus ihrem Mund, sie schaute lediglich verunsichert von einem zum nächsten. Auf Elisa wirkte sie nicht nur wie eine verängstigte und erschöpfte Frau, sondern vielmehr überfordert und verwirrt. Was ihr zugestoßen sein mochte, konnte Elisa sich kaum ausmalen.

Theresia räusperte sich. Sofort wurde es so still, dass Elisa hätte glauben können, sie wäre taub geworden, wenn sie nicht gesehen hätte, dass Theresias Lippen noch immer geschürzt waren. Sie räusperte sich erneut, krächzte dann unverständlich, als müsse sie sich erst an ihre Stimme gewöhnen. Schließlich brachte sie unter Mühen hervor: »Ich musste suchen gehen. Ich habe etwas gesehen. Es war da, ganz bestimmt.«

Elisa fühlte sich, als würde ein Stein in ihren Magen sacken. War der Geist in seiner ursprünglichen Gestalt ihr erschienen oder lauerte noch etwas anderes, Böseres auf sie?

»Etwas oder jemand?«, fragte Cyril nach und Elisa machte der Gedanke, dass sich ein Mensch bei ihnen verstecken und unbemerkt so nah bei ihnen leben könnte, beinahe mehr Angst als der Geist, der seine Rache suchte.

»Was musste meine ärmste, liebste Gattin nur alles ertragen?«, rief Joseph und warf theatralisch seine Hände in die Höhe, aber Elisa glaubte ihm seine Verzweiflung. Theresia trank indes viel und aß ein wenig Brot.

Barsch antwortete Cyril: »Wenn du uns früher Bescheid gesagt … « Er sprach nicht mehr weiter, sondern schnappte nach Luft, als Davids Ellenbogen ihn in die Seite traf. Joseph ging nicht darauf ein.

Was dann geschah, erschütterte Elisa bis hin zur Handlungsunfähigkeit: Wendelin zerschlug ohne Vorwarnung eine Flasche auf Davids Kopf, der daraufhin in sich zusammensackte. Unsanft fiel er zu Boden. Wendelin sagte: »Du hast meine Flasche mit deinem Kopf zerstört, du Bastard!«

Elisa blieb die Luft weg. Auch alle anderen rührten sich zunächst nicht. Sie fühlte sich, als wäre sie zu Stein erstarrt.

Erst Cyrils Stimme weckte sie aus ihrer Starre. »Der Geist! Haltet Wendelin fest«, rief er, sah sich aber verängstigten Frauen und einem ohnehin schier hysterischen Joseph gegenüber.

Elisa wusste, dass sie jetzt handeln musste, bevor es weitere Verletzte oder gar Tote gab. Mit aller Kraft setzte sie sich in Bewegung, zog die Tischdecke vom Tisch und warf sie über den vom Geist besessenen Wendelin. Cyril stürzte sich auf ihn. Sogar Maria kam zu sich und half, ihren Gatten niederzudrücken. Elisa kniete sich hin und knotete die Tischdecke stramm zusammen. Unter der Decke kämpfte Wendelin darum, freizukommen, es gelang ihm jedoch nicht.

»So sollten wir abwarten können, bis er wieder der Alte ist«, kommentierte Cyril die Situation. »Joseph, David wird wach. Mach dich endlich nützlich und hole ihm ein feuchtes Tuch für seinen Kopf. Der wird ihm ordentlich schmerzen.«

Wendelins Körper zuckte noch ein wenig unter der Decke, aber Elisa glaubte, dass sie ihn gut im Griff hatten. Maria liefen einige Tränen die Wangen hinab, sie schien sich jedoch unter Kontrolle zu haben. Sie gab keinen Laut von sich, biss sich allerdings so fest auf die Unterlippe, dass diese beinahe gänzlich weiß wurde.

»Was um Gottes willen ist hier los?«, kreischte plötzlich Theresia, die aufgestanden war, ohne dass Elisa es bemerkt hatte. Sie krallte sich regelrecht an der Tischplatte fest und hyperventilierte.

Joseph, gerade auf dem Weg zur Küche, kehrte schnurstracks um und begann ihr trotz Cyrils Schnauben den Rücken zu tätscheln. »Liebes, ich muss dir da etwas erklären. Aber ich glaube, du ruhst dich besser zuerst aus. Ich bringe dich jetzt auf unser Zimmer.«

Schwach nickte Theresia und folgte nach einem letzten unsicheren Blick in die Runde ihrem Gatten.

Als die zwei gegangen waren, blieb es still. Auch Wendelin machte keine Anstalten mehr, sich zu befreien, sondern lag artig und beinahe wie ein Präsent verschnürt auf dem Boden. Es dauerte noch weitere zehn bis fünfzehn Minuten, bis er ein ersticktes »Was geht hier vor? Lasst mich frei!« von sich gab.

»Wendelin, bist es auch wirklich du selbst?«, wollte Cyril wissen und blieb vorsichtig.

Maria hingegen sprang auf. Sie plapperte aufgeregt und fuchtelte mit den Armen in der Luft umher: »Er ist es ganz gewiss. Geht da weg, ihr tut ihm weh. Er bekommt keine Luft. Steht schon auf.«

»Beweise es uns«, forderte Cyril.

»Es gibt keine Beweise, wir werden es versuchen müssen«, brummte Elisa.

Cyril hielt Wendelin noch immer fest, während Elisa wie zuvor Maria aufstand. Der schwer atmende Festgeknotete machte keine ruckartigen Bewegungen, versuchte sich aber langsam zu befreien. Elisas Herz schlug schnell, als Wendelin allerdings seinen Pfeifenraucherhusten hustete, atmete sie unwillkürlich einmal tief durch. Eine Haarsträhne klebte Elisa an der feuchten Stirn, die sie mit dem Handrücken abwischte.

Wendelins Stimme klang durch die Tischdecke gedämpft, als er sagte: »Habe ich etwas Schlimmes getan?«

»Du hast David niedergeschlagen«, grummelte Cyril. Er hielt dabei nicht den Vorwurf zurück, der in seiner Stimme mitschwang, obwohl Wendelin selbst unschuldig an seinem Vergehen war.

Schließlich stieg Wendelin unter der Decke hervor, schaute sich um und rieb sich über den Kopf. »Dafür entschuldige ich mich herzlich, David«, sagte er und schaute zu Boden.

David nickte schwach. Dann winkte er ab, als hätte er zuerst überlegen müssen, wie diese Bewegung vom Gedanken in die Tat umzusetzen ist. Er saß noch immer auf dem Boden.

»Wir müssen viel besser aufpassen«, fasste Elisa die Situation zusammen.

Maria zuckte die Schultern und fragte: »Aber was sollen wir denn nur tun? Sollen wir noch einmal mit Theresia sprechen, was sie da gehört oder gesehen zu haben glaubt?«

Die Gruppe beschloss, nicht weiter darauf einzugehen, da es unwahrscheinlich war, dass sie zusätzlich zum Geist nun auch noch von einem heimlichen Besucher geplagt werden würden. Auch Elisa vertrat die Meinung, dass Theresia sich ihr Erlebnis lediglich durch Schlaf-, Wasser- und Nahrungsmangel eingebildet hatte.

»Eines möchte ich allerdings noch festhalten«, wandte Cyril ein, »auch ich habe ein Poltern unter uns gehört. Ich habe es schlichtweg nicht beachtet und für unwichtig befunden. Ich glaube nicht, dass dort unten jemand ist. Ich denke letztendlich, dass ich Theresia hörte. Und vielleicht hörte sie ja ihre eigenen Schritte. Sehen konnte sie doch gar nichts, sie hatte ja kein Licht, oder hat sie Kerzen mitgenommen?«

»In völliger Dunkelheit haben wir die Arme zumindest gefunden«, stimmte David langsam nuschelnd zu. Zum ersten Mal, seit er mit der Flasche geschlagen worden war, mischte er sich ein und machte Elisa mit seiner Art zu sprechen erst bewusst, wie heftig Wendelin zugeschlagen hatte.

Cyril wechselte das Thema: »Es ist spät geworden. Ich würde sagen, wir machen uns bereit, in Enzrichs Zimmer zu gehen. Und wie ich dich kenne, David, wirst du bestimmt auch mit deinen Kopfschmerzen gedenken mitzukommen. Ja? Nun, das dachte ich mir. Und morgen sollten wir uns dann um einen Fluchtweg durch den Tunnel kümmern.«

Kurz war es still und niemand widersprach.

»Ich richte euch Speisen und Getränke für die Nacht«, murmelte Maria und ging ihrer üblichen Tätigkeit nach: der Versorgung der Gäste.

Elisa nutzte die Zwischenzeit, um sich ein wenig in ihrem Zimmer frisch zu machen. Sie holte sich eine kleine Decke, die sie sich über die Schultern legen könnte, sollte sie frieren. Ansonsten wusste sie nicht, wie sie sich auf die ihr bevorstehende Nacht hätte vorbereiten können. *Woran muss ich denken, wenn ich versuche, Kontakt zu einem rachsüchtigen Geist aufzunehmen?*, rätselte sie.

Nach wenigen Minuten klopfte es an ihrer Tür. Ihre Grübeleien wurden unterbrochen und ihre Unentschlossenheit verging rückstandslos. Nun würde es losgehen. Vielleicht konnten sie etwas bewirken. Beim nächsten Morgengrauen wären sie schlauer oder hätten zumindest einen Versuch unternommen, ihre Lage zu ändern.

»Ich komme schon«, rief Elisa und versuchte die Furcht in ihrem Zimmer zurückzulassen.

10. Kapitel

Der Donner rumpelte so gnadenlos, dass der Holzboden zu beben begann. Blitze erleuchteten den Nachthimmel – oder vielmehr vermutete Elisa dies, da durch minimale Ritzen an den Fensterläden ab und an ein Hauch gespenstisches Licht flackerte. Selbst der Wind hielt sich in dieser Nacht nicht zurück: Er pfiff und blies, als gelte es, den Waldgasthof samt dessen Insassen hinwegzufegen. Elisa fragte sich, ob sie in den letzten Tagen schlichtweg gleichgültig gegenüber der Wetterlage in der so weit entfernt anmutenden Außenwelt geworden war oder ob das Wetter auf ihr Eindringen in Herrn Enzrichs Sterbezimmer reagierte.

Cyril und David untersuchten bereits das Mobiliar im lange Zeit verwaisten Raum.

Elisa wurde jedoch von Maria an der Tür aufgehalten, wagte es kurz, ihre Nase in den Raum zu halten, bevor sie sich ihrer Gastgeberin zuwandte. Überrascht stellte sie fest, dass ein schlichtes, aber durchweg gewöhnlich anmutendes Zimmer auf sie wartete. Bei Maria verharrte sie nur sehr widerwillig, da die Engländer sich darüber berieten, wie es sein konnte, dass kein Staub auf den Möbeln lag, wo die letzte Reinigung dermaßen lange zurücklag.

Elisa besann sich mit aller Macht ihrer guten Erziehung, um nicht unhöflich zu werden. Maria traute sich anscheinend tatsächlich keinen Schritt in das Sterbezimmer hinein, denn sie blieb auf der Flurseite des Türrahmens stehen, während Elisa diese unsichtbare Grenze überschritt.

»Kind, du musst da drinnen nicht sein oder gar die Nacht in diesem Raum verbringen.« Maria betonte das Wort Raum, als wäre es ein Schimpfwort. »Lass das doch die Männer machen. Glaube mir, das wird kein gutes Ende nehmen. Dieses Zimmer … der Geist wird zu euch kommen. Dann werdet weder ihr dort drinnen noch wir hier draußen sicher sein. Ihr solltet euch nicht in diese Gefahr stürzen.«

Bevor Maria sich weiter hineinsteigern konnte, legte Elisa ihr eine Hand auf den Arm und sagte: »Ich danke dir für deine Sorge, aber ich muss das tun. Der Hinweis auf eure Sicherheit kommt allerdings rechtzeitig. Ich möchte, dass du uns hier einschließt.«

Zuerst reagierte Maria überhaupt nicht auf Elisas Worte. Dann explodierte die Bombe des Widerspruchs. Sie redete so schnell und gestikulierte dermaßen wild, dass Elisa einen Schritt zurücktreten musste. Damit, dass sie weiter in die Räumlichkeiten des Geistes vordrang, gebot sie Marias Reaktion Einhalt.

»Maria, so höre mir doch zu. Bitte! Es wäre von großem Vorteil für euch, wenn ihr die Tür absperrt und bestenfalls noch verbarrikadiert. Wenn es hier drinnen eskaliert, dann seid ihr immerhin vor uns sicher. Wir wissen nicht, welche Kräfte unser Vorhaben freisetzt. Deshalb bitte ich dich darum, die Tür zu verschließen und nicht wieder zu öffnen, bis der nächste Morgen angebrochen ist. Egal, was du von uns auch hören magst«, erklärte Elisa. Diese Worte hatten David und Cyril angelockt, die zustimmend nickten.

»Das kann nicht euer Ernst sein«, empörte sich Maria. »Tut euch das doch bitte nicht an. Überlegt doch einmal, wenn der Geist über einen von euch kommt, dann seid ihr vielleicht ohne ein Entrinnen verloren.«

Elisa klappte den Mund auf, aber Cyril kam ihr zuvor. »Ich stimme Elisas Vorschlag zu. Es wäre das Sicherste für die Unbeteiligten. Und Enzrich sagte bereits, dass er vor allem an dir und Wendelin seine Rache üben möchte. Ich glaube nicht, dass uns etwas geschehen wird, womit wir nicht fertigwerden würden.«

»David, bist wenigstens du bei klarem Verstand?«, wollte Maria wissen. Ihre Resignation stand ihr dabei ins Gesicht geschrieben.

»Schließe die Tür von außen ab. Bis morgen in der Frühe«, beendete David die Diskussion.

Maria schüttelte mit dem Kopf, tat aber wie geheißen. Bevor sie das Schloss einrasten hörte, vernahm sie Marias gemurmelte Worte: »Was haben wir nur getan? Wir wollten doch nur zusammen sein. Holdi, es tut mir alles so leid. So leid.«

Elisa ging nicht darauf ein. Sie ließ es sich jedoch nicht nehmen, ihr durch die geschlossene Tür erneut einzuschärfen, dass sie unter keinen Umständen die Tür öffnen dürfe, da es ja sein könnte, dass einer von ihnen vom Geist besessen war, wenn er darum bat, hinausgelassen zu werden.

»Dir ist schon klar, dass das auch morgen früh der Fall sein kann?«, fragte Cyril.

Elisa nickte. »Natürlich, aber irgendwelche Regeln brauchen wir schlichtweg, um diese Nacht geordnet zu überstehen.« Elisa drehte der verriegelten Tür den Rücken zu und versuchte sie nicht länger als ihr Todesurteil zu betrachten. Aufmerksam sah nun auch sie sich um, konnte allerdings noch nicht den winzigsten Hinweis auf eine der Spuren entdecken, von denen Maria gesprochen hatte.

Zusammen mit Cyril und David saß Elisa wenig später an einem recht verkratzten Tisch aus Kiefernholz und blätterte durch eine inzwischen zwei Wochen alte Zeitung. Angenehm vertraut fühlte sich die Druckerschwärze an ihren Fingern an und ließ sie zeitweilig beinahe vergessen, wo sie war und was sie vorhatte. Allein der Geruch der Zeitung, den sie ebenso heimlich wie gierig in sich aufsog, versetzte sie zurück nach Frankfurt. In die beklemmende Sicherheit ihres Zuhauses, dem sie gleichermaßen fernbleiben wollte und es vermisste. Die beiden Engländer spielten Karten und scherzten, als sei dies ein gewöhnlicher Abend.

Nicht lange, dann rauchten sie eine Pfeife, deren Tabakrauch Elisa in den Augen brannte. Zunächst beobachtete sie die beiden, wie sie die Pfeife zwischen sich hin und her wandern ließen und bemüht waren, Ringe aus Rauch hervorzubringen. Schließlich fragte sie: »Ist das eine Friedenspfeife, die ihr mit Enzrich teilen wollt? Ich hätte euch einen pfiffigeren Plan zugetraut.« Das Gelächter, das Elisa ihren Begleitern trotz ihrer Anspannung entlocken konnte, befreite auch sie ein wenig von ihrer Furcht.

»Wenn dieser Spuk so einfach aus der Welt zu schaffen ist, dann verschlinge ich ein Tischbein«, sagte David und trat leicht gegen eines des Holzbeine, woraufhin der Tisch bedenklich knarzte.

Cyril schaute nicht einmal auf, sondern korrigierte nur: »Besenstiel. Das heißt hier in Deutschland Besenstiel.«

Elisas Anspannung bahnte sich einen Weg ins Freie und schließlich brach auch sie in Gelächter aus. »Ihr seid die seltsamsten und lustigsten Engländer, die ich kenne!«

David hob eine Augenbraue und fragte: »Kennst du überhaupt noch andere Engländer?«

Elisa schüttelte glucksend den Kopf, wurde aber still, als der Boden erneut bebte.

Das Donnergrollen näherte sich.

Beginnend bei Elisa über David bis hin zu Cyril flackerten die Kerzen im gesamten Raum reihum. Der Anschein eines gemütlichen Abends verflog, obwohl sie so darum gekämpft hatten.

»Das war unheimlich«, stellte Elisa unnötigerweise fest.

David gab ihr recht. »Und dabei wird es wohl nicht bleiben.«

»Dann sollten wir tanzen«, schlug Cyril vor und erhob sich. Er streckte seine Hand nach Elisa aus, zog sie auf die Füße und führte sie zu einem Takt, den sie nicht hörte. Obwohl Cyril sich schnell als geübter Tänzer erwies, wurde ihr schwindelig und in ihrer Kehle bildete sich ein Kloß. *Das ist nicht richtig, im Zimmer eines Toten zu tanzen,* dachte sie. Immer, wenn David in ihr Blickfeld geriet, warf sie ihm einen fragenden Blick zu. Cyrils Verhalten verunsicherte sie dermaßen, dass sie über ihre eigenen Füße stolperte.

»Na, nicht ganz bei der Sache, meine Liebe?«, neckte er sie. Elisa war nicht sicher, ob sie nicht gerade ein kleines bisschen schwäbischen Dialekt herausgehört hatte.

Abrupt blieb sie stehen. »Cyril, mir ist nicht danach, einen Tanz aufs Parkett zu legen.«

»Nun habe dich doch nicht so. Ein Tänzchen wirst du mir nicht verwehren wollen.«

Elisa spürte, dass sich ihre Wangen röteten. »Cyril, wirklich, ich … «

»Ach, so eine bist du. Tanzen ist dir zu langweilig. Willst du vielleicht einen Kuss?«

Elisa trat zwei Schritte zurück, aber Cyril hielt sie an den Handgelenken fest. Ein Wimmern entrang sich ihrer Kehle, ein Geräusch, das sie niemals zu tätigen gedachte. Sie lehnte sich weiter nach hinten und versuchte sich zu befreien. »Lass mich los«, bat sie mit so ruhiger Stimme, wie es ihr möglich war. Dass nicht Cyril sie festhielt, war ihr klar und es ekelte sie der Gedanke daran, dass Hände sie berührten, die von einem Geist kontrolliert wurden.

Davids Unterarm erschien an Cyrils Hals. Er drückte zu und zog ihn zurück. Elisa konnte ihre Handgelenke befreien und wunderte sich, dass sie gar nicht auf David geachtet hatte, der sich unbemerkt angeschlichen hatte. Cyril schaffte es, David wegzustoßen. David krachte mit dem Rücken hart gegen eine Wand. Er atmete schwer, hielt sich aber auf den Füßen.

Elisa wich weiter zurück und suchte das Zimmer nach einer Waffe ab, die sie zu ihrer Verteidigung benutzen konnte. Immerhin wollte sie den echten Cyril nicht verletzen. Sie wählte schließlich aufgrund mangelnder Alternativen den Schürhaken. David und Cyril fassten sich beide an den Hosenbund an der Seite und zogen ein Messer heraus.

Bin ich die Einzige, die nicht im Vorfeld an eine Waffe gedacht hat?

Kurz umkreisten sich die Freunde ähnlich wie Schwertduellanten. Nach wenigen Runden blieb Cyril allerdings stehen. Sein Lachen klang höhnisch und unmenschlich. »Oh nein, auf solche Spielchen lasse ich mich nicht schon wieder ein. Das mit der Tischdecke war zu viel.« Er hob das Messer an seinen eigenen Hals, ohne auch nur die geringste Spur eines Zitterns zu zeigen.

»Nein, bitte«, sagte David und ließ sein eigenes Messer sinken. »Cyril, wehre dich, wenn du kannst. Tu nicht das, was der Geist fordert.«

»Wie erbärmlich«, sagte Cyril. Mit einer kraftvollen Bewegung ließ er die Klinge über seinen Hals gleiten.

Zunächst regte sich in Elisa die Hoffnung, dass nichts geschehen sei und Cyril wieder rechtzeitig erwacht wäre, um eine Verletzung abzuwenden.

Aber dann sah sie das Blut.

Es floss in Strömen aus Cyrils Kehle. David fing seinen Freund auf, der zu Boden sackte, und presste seine Hand auf dessen Wunde. Elisa ging bei den beiden in die Hocke, wusste aber nicht, was sie hätte tun können. Die Blutlache, die sich bildete, war beängstigend. Mehr und mehr But strömte aus Cyrils Hals. Seine Augen hielt er geschlossen. Elisa betete dafür, dass er nichts mitbekam.

Die Sekunden verstrichen. Cyril regte sich nicht, aber sein Blut floss.

»David, ist er …?«

David nickte, legte seinen Freund auf den Boden und lief vor dem Tisch, an dem sie noch wenige Minuten zuvor Karten gespielt hatten, auf und ab. Seine Hände waren zu Fäusten geballt, deren Knöchel weiß hervortraten.

Elisa wollte vorschlagen, nach Maria zu rufen, damit sie ihnen die Tür aufsperren würde, aber sie glaubte nicht, dass sie Maria überzeugen könnten. Nun wurde es ihnen zum Verhängnis, dass sie die anderen schützen wollten und darum gebeten hatten, bis zum Morgengrauen eingeschlossen zu bleiben, was auch immer die anderen hören würden und was auch immer sie rufen würden. Elisa hatte schlichtweg nicht damit gerechnet, nach so kurzer Zeit oder überhaupt mit einem solchen Drama konfrontiert zu werden. In ihrem Kopf konnte sie keine Worte finden, die der Situation angemessen schienen. Sie konnte Davids Verlust nur erahnen. »David, mein aufrichtiges Beileid. Er war dein Freund. Es tut mir so unglaublich leid«, sagte sie und wischte sich die Tränen aus dem Augenwinkel, die sie selbst gerade erst bemerkte. Elisa hätte ihm so gerne Beistand geleistet, fühlte sich jedoch gehemmt und wusste nicht, wie sie an ihn herankommen konnte.

Wieder nickte David. Sein Gesicht wirkte blass und fahl, als wäre er plötzlich gealtert, ansonsten zeigte er keine Anzeichen von Trauer. »Wir sollten uns beide an einem Stuhl festbinden«, sagte er schließlich. »Wenn der Geist sich sein nächstes Opfer aussucht, könnte so niemandem etwas geschehen. Du alleine könntest mich gewiss nicht zurückhalten, wollte ich dir etwas antun – oder mir selbst.«

»Oh nein, das kenne ich schon. Wir wollen mit dem Geist in Kontakt treten und nicht uns als seine Opfer anbieten.«

»Wir hatten unseren Kontakt. Da liegt das Resultat«, sagte David und zeigte auf seinen Freund, ohne hinzuschauen. Seine Stimme klang kratziger als sonst, aber darauf einzugehen oder gar Trost anzubieten käme einem Angriff auf seine Männlichkeit gleich, fürchtete Elisa.

»Berthold war doch sein Vorname, oder? Gut. Herr Berthold Enzrich, wir können nichts dafür, was Ihnen hier geschehen ist, und bedauern Ihr Schicksal zutiefst. Wir können nichts dafür. Können nichts daran ändern. Bitte sehen Sie von Ihrer Rache ab.« Elisa brachte es nicht über sich, weiterzusprechen. Trotz allen Ernstes kam sie sich lächerlich vor, wie sie da stand, den Kopf in den Nacken gelegt, den Blick leicht nach oben gerichtet, und versuchte, sich mit einem Geist zu versöhnen.

»So wird das nichts«, kommentierte David. Im Gegensatz zu Elisa blickte er nicht hinauf, sondern hielt seine Augen geschlossen und kniff seine Nasenwurzel mit Daumen und Zeigefinger. »Sie verfluchtes Schwein, ich werde Sie persönlich zur Hölle schicken, also wagen Sie es nicht erneut, sich eines Körpers zu bemächtigen! Cyril ...«

»Auch das wird ihn wohl kaum besänftigen, David. Wir müssen alles anbieten, was wir haben. Herr Enzrich, was wollen Sie? Wodurch wäre Ihre Rache vollständig? Wir helfen Ihnen, sofern Sie dafür die tatsächlich Unschuldigen verschonen.« Elisa stockte der Atem. Hatte sie gerade dem Geist angeboten, ihm zu helfen, sich an Wendelin und Maria zu rächen, sie gar zu töten? *Was ist hier nur aus mir geworden?*, fragte sie sich. *Und wie wichtig ist das im Angesicht des Todes noch?*

Elisa schaute sich um, aber nichts geschah. Entweder konnte oder wollte Herr Enzrich nicht mit ihnen kommunizieren. David schritt weiterhin auf und ab. Ratlos schaute sie zum verschlossenen Fenster. Der Wind heulte erbärmlich und Elisa war, als müsste sie mitheulen. *Welche lächerlichen Gedanken du hast!*, schimpfte sie mit sich.

David blieb unvermittelt stehen. Er bewegte sich kein Stück. Elisa konnte nicht einmal erkennen, ob er überhaupt atmete. Sie selbst hörte jedenfalls auf zu atmen, als in ihr die Befürchtung wuchs, dass Herr Enzrich nun doch mit ihr sprechen würde – im Körper Davids. Im Zimmer glaubte sie eine Bewegung wahrgenommen zu haben und drehte sich in die entsprechende Richtung. Tatsächlich: Die Bettlaken waren nicht mehr glattgestrichen, sondern sahen aus, als hätte jemand unruhig darin gelegen. Als hätte jemand einen Todeskampf darin ausgetragen.

Elisa schaute zurück zu David.

Er drehte sich langsam um und sah ihr fest in die Augen. Sie wich einen Schritt zurück. Aber was würde ihr das schon nützen? Unkontrolliert schnappte sie nach Luft, suchte in Gedanken eine Möglichkeit, auf das zu reagieren, was ihr bevorstehen mochte.

David lächelte. »Dachtest du gerade, was ich glaube?«

»Bist du nicht …?«

David schüttelte den Kopf.

Elisa lächelte zurück, es war einfach zu viel an diesem Abend geschehen. Ihr Blick huschte zu Cyrils Leichnam und ihr Gesicht fühlte sich wie eine Maske an. Auch Davids Lächeln verebbte.

»Die Bettlaken. Maria erwähnte doch, dass sie jeden Morgen aufs Neue zerwühlt sind. Vorhin waren sie noch glatt«, erzählte Elisa ihm. Dass ihre Stimme dabei zitterte, konnte sie nicht ändern, aber sie hatte wichtigere Probleme.

David zuckte lediglich mit den Schultern.

»Lass uns ihn zudecken«, bat Elisa und machte sich daran, die Tischdecke vom Tisch zu nehmen. Sie wollte erneut ein solches Tuch zweckentfremden, denn sie konnte Cyrils aufdringliche Präsenz nicht länger ertragen. Zu seinen Lebzeiten hätte er nie einen Raum so für sich in Anspruch genommen, wie es Elisa schien. Das Bett hätte sie nun unter keinen Umständen anfassen mögen, deshalb wandte sie sich der Tischdecke zu.

Es klopfte an der Tür, gerade als sich der Stoff über Cyril legte und ihn zu einer Silhouette verhüllte. Elisa zuckte zusammen. Ihr Herz raste in den Nachwehen des Schrecks. Marias Stimme vermochte sie nur geringfügig zu beruhigen: »Alles in Ordnung bei euch da drinnen? Möchtet ihr nicht lieber herauskommen? Es kann doch nicht gut gehen, wenn ihr da drinnen die Nacht verbringt.«

Wie recht Maria damit hatte! Elisa schloss einen kurzen Moment die Augen und horchte in sich hinein. *Bin ich in der Lage, diese Nacht zu überstehen? Irgendwie etwas damit zu erreichen?* Sie wusste, dass sie jetzt nicht aufgeben konnte und sich andernfalls ihr Leben lang Vorwürfe machen würde. Wobei ihr Leben vielleicht gar nicht mehr so lange dauern würde, wenn sie hier drinnen bliebe. Widerwillig öffnete Elisa die Augen wieder, blickte zuerst zu Cyril, dann zu David. »Es könnte ohnehin eine Falle sein. Enzrich könnte auch draußen auf uns lauern«, flüsterte Elisa.

Er nickte barsch.

Marias Stimme klang ein wenig schrill, als sie fragte: »Hallo? Hört ihr mich da drinnen?«

»Ja, Maria, danke, aber wir bleiben hier.« Elisa schluckte. »Cyril ...«

David unterbrach sie: »Es ist alles in Ordnung, danke.«

Auf Elisas fragenden Blick hin flüsterte David: »Die lassen uns hier sonst nie in Ruhe.«

Als ihr klar wurde, dass sie die Nacht mit einem Toten in einem Zimmer verbringen würde, ließ Elisa sich auf einen Stuhl fallen, da sie keine Kraft mehr in den Beinen spürte. Angestrengt grübelte sie, wie sie die übrigen Stunden sinnvoll verwenden konnten.

Auch David schwieg und die Zeit verrann so zäh wie kalter Honig.

Als Elisas Kinn langsam auf ihre Brust zu sinken drohte, drang ein unangenehmer Geruch in ihre Nase. Salzig. Metallisch. Es roch nach Blut, sogar intensiver als zu dem Zeitpunkt, als Cyril verblutet war. Um vollständig wach zu werden, blinzelte sie ein paar Mal schnell und ließ ihren Blick durch den Raum schweifen. Da sie nichts Ungewöhnliches ausmachen konnte, stand sie auf. Elisa zog Davids Aufmerksamkeit auf sich, doch sie ließ sich nicht beirren, sondern suchte weiter.

Keinen Meter weg von ihr erschien ein blutiger Handabdruck am Fenster. Daneben ein weiterer. Es wurden immer mehr. Unzählige Handabdrücke entstanden an den Scheiben und an dem sie umschließenden Mauerwerk, die ein wenig verliefen. Elisa überkam eine Taubheit, die sie schwindeln ließ, als hätte sie sich den Kopf gestoßen.

Sie wollte etwas sagen, aber David schüttelte den Kopf. Er wollte es nicht thematisieren, aus welchen Gründen auch immer. In weitem Bogen um Cyril herum steuerte sie ihren Stuhl an.

Mit einem Ruck wirbelte sie plötzlich herum und stierte auf das zweckentfremdete Tischtuch. Ihr Verhalten, aber viel mehr noch ihr Eindruck, den sie soeben gewonnen hatte, war absurd. *Cyrils Bein kann unter dem Tuch nicht gezuckt haben. Oder lebt er noch? Ist er gar nicht tot? Nein! Er ist verblutet. Der rote Fleck beweist es.* Elisa schaute weg, glaubte aber, ein leises Röcheln zu hören.

»Was ist los?«, fragte David, dem ihre Unruhe nicht entgangen war.

Elisa schüttelte lediglich den Kopf.

David nahm es als Antwort und ließ sie seinerseits in Ruhe, aber eigentlich versuchte sie mit ihren schnellen Kopfbewegungen nur den schlechten Geruch zu vertreiben, der in ihrer Nase festhing. Einen Geruch, den sie vom Schlachter kannte. Fleischabfälle. Verwesungsgerüche. *So bald nach seinem Tod dürfte Cyril noch gar nicht so riechen*, dachte Elisa. Es drängte sie immer mehr, ihn wieder aufzudecken und nachzusehen, ob alles seine Ordnung hatte.

David kam auf sie zu und ging vor ihrem Stuhl in die Hocke. »Nun sag mir doch, was los ist«, verlangte er und setzte ein »bitte« hinterher.

»Wenn du das selbst nicht weißt, dann werde ich langsam verrückt. Und das sollten wir beide tunlichst ignorieren.«

Auf diese Aussage hin schaute David sie tatsächlich an, als zweifle er an ihrem Verstand. Sie war ihm dankbar, dass er nicht vorschlug, die Nacht in diesem Raum abzubrechen. Er legte den Kopf schief und meinte: »Wir müssen uns ein wenig beschäftigen. Rede mit mir. Wir sind jetzt erst zwei Stunden hier drin und verhalten uns beide absolut seltsam. Sogar in Anbetracht der Umstände. Also, erzähle mir etwas, das ich noch nicht von dir weiß. Wohin, in welches Leben kehrst du schließlich zurück, nachdem du womöglich doch noch in Freiburg deine Neugierde befriedigen konntest?«

»Ich wohne wie erwähnt in Frankfurt. Weißt du noch, das Gespräch über Grimm? Mein Mann besitzt dort ein nettes Stadthaus. Ich habe da so eine hübsche kleine Bank in meinem hübschen kleinen Garten. Noch ist es zu kalt, aber bald werde ich dort sitzen und an diesen Waldgasthof zurückdenken. Ich habe überall bunte Blumen pflanzen lassen. Ich liebe den Duft. Was ist los, warum schaust du so?«

David blieb kurz sprachlos, fragte dann, beinahe über die wenigen Silben stolpernd: »Du bist verheiratet?«

Elisa nickte. Sie verstand nicht, weshalb sich eine feine Röte auf ihre Wangen schlich.

»Aber du trägst keinen Ring!«

»Nun ja, ich denke nicht, dass ich das muss.«

»Elisa, aber du hast nichts davon gesagt. Ihn nie erwähnt«, David beherrschte seine Stimme, aber sein Kopf war rot angelaufen.

Kleinlaut verteidigte sich Elisa: »Doch, am ersten Abend, da habe ich über ihn gesprochen.«

»Ich zumindest wusste nichts davon.«

So langsam wurde es ihr zu bunt. Was sollte diese Inquisition? Elisa reckte ihre Nase ein wenig in die Höhe und schlug einen patzigen Tonfall an. Das hatte sie seit ihrer Mädchenzeit nicht verlernt. »Was spielt es für dich schon für eine Rolle? Ich verrate es dir: keine. Es sei denn, du hegtest amouröse Gefühle für mich. Und das ist Unsinn.« Elisa ließ ein – wenn auch undamenhaftes – Schnauben ihrer Aussage folgen.

David trat einen Schritt auf sie zu und fragte: »Und wenn ich das täte?«

Elisa wich nicht zurück, das verbat sie sich. Aber sie senkte ihren Kopf und ließ ihren Blick nicht länger seinem begegnen. *Warum pocht mein verdammtes Herz plötzlich so?*

»Es war wohl keine Liebesheirat.«

»Wir schätzen einander«, gab sie stumpf zurück.

»Und ich schätze meine Großmutter.«

»David, bitte verspotte mich nicht.«

David ließ seine Knöchel knacken. »Wenn wir hier heraus sind, werde ich ihn fordern.«

»Zum Duell?« Elisa spürte Panik in sich aufsteigen.

»Jedenfalls nicht zum Tanz.«

Elisa dachte, dass ihr englischer Freund verrückt geworden sein musste, und äußerte dies.

David legte den Kopf schief. »Du hast mich aber nicht gebeten, es nicht zu tun.«

»Und dann? Das wäre ein Eklat!«

»Dann, Elisa, dann kommst du stattdessen mit mir nach England. Du kehrst mit mir zurück als meine Frau. Keiner dort wüsste Bescheid. Und für die Menschen hier in Deutschland gehörst du zu den traurigen Todesopfern dieses verdammten Gasthofs.«

Elisa wollte lauthals lachen, sie brachte nur ein Krächzen zustande. »Das alles kann nicht dein Ernst sein. Dein Plan ist nicht durchdacht! Du kennst mich kaum. Ich kenne dich ebenso wenig. Das ist doch ein Scherz.« Sie wollte sich umdrehen und ein wenig mehr Abstand zwischen sich und David bringen. Genug, um in diesem beengten, leichenbeladenen Raum ein wenig Luft zu bekommen. David hielt sie allerdings an ihren Schultern fest.

»Ich meine das alles absolut ernst. Überlege es dir«, sagte David.

Elisas Wangen glühten immer heftiger. Sachte nickte sie und murmelte etwas davon, dass sie sich setzen wolle. »Und außerdem haben wir andere Probleme. Es spukt hier, verdammt!«, setzte sie hinzu, nachdem sie ein bisschen Abstand von ihm gewonnen hatte. Doch auch ein paar Meter weg auf dem Stuhl wurde es nicht besser. Sie horchte auf ihren Herzschlag und fragte sich, was gerade los mit ihr war. Sie versuchte Wut zu empfinden. Dieser Kerl machte sich über sie lustig, gewiss. An dem Quäntchen Hoffnung, das sie abstruserweise in sich spürte, mühte sie sich vergebens ab: Sie bekam es nicht heruntergeschluckt. *Du bist kein naives Ding von 16 Jahren mehr! Du bist verheiratet!* Aber was kann eine Frau gegen ihre Gefühle ausrichten?

Die Tür bebte und riss sie aus ihrer eigenen Welt zurück in die Realität. Ohne es bemerkt zu haben, stand Elisa mit einem Mal hinter ihrem Stuhl und hielt sich mit den Händen an dessen Rückenlehne fest. Immer wieder wurde die Tür erschüttert, als schlüge jemand dagegen. Elisa hoffte inständig, dass das in diesem Moment nicht mehr besonders stabil wirkende Holz der Tür das draußen halten würde, was das Beben verursachte. *Oder vielleicht ist es ohnehin schon hier drinnen*, dachte Elisa und fasste sich an den Hals. David presste seine Zähne aufeinander, sodass man es durch die Haut seiner Wangen hindurch sehen konnte. Das Geräusch und die Vibrationen an der Tür verebbten.

Die Kuckucksuhr im Flur schlug Mitternacht.

Elisas Finger wurden taub. Sie schüttelte ihre Hände, aber es wollte kein Blut in die kribbelnden Fingerspitzen strömen. Müdigkeit legte sich über sie wie ein grobes Tuch, unter dem sie ersticken könnte. Sie ging auf und ab, aber sie fühlte sich in ihrer eigenen Haut nicht wohl. In ihr erwuchs die Befürchtung, dass es der Geist war, der die Kontrolle über sie zu erlangen trachtete. Elisa rieb sich die Hände, dann die Stirn und blieb mit einem Mal wie angewurzelt stehen. Sie wollte David warnen, aber kein Wort glitt über ihre Lippen. Mit aller Macht konzentrierte sie sich auf ihr Umfeld und schaute sich um. Der Teppich, auf dem sie stand, gab kaum mehr nach, so abgenutzt war er. Ihre Augen klammerten sich an das tanzende Kerzenlicht, aber sie fühlte sich mehr und mehr zurückgedrängt.

»Elisa, deine Augen, sie blicken so kalt und leer. Bist du noch du selbst?«, fragte David und erhob sich vom Stuhl.

Elisa spürte, dass sie nickte, aber nicht sie selbst führte diese Bewegung aus. Obwohl sie Panik in sich aufwallen spürte, schlug ihr Herz nicht schneller. Der Geist übte die Kontrolle über ihren Körper aus; dieses Mal bei ihrem vollen Bewusstsein. Sie musste Enzrich irgendwie überlisten.

Elisa ließ sich fallen, indem sie alle Muskeln so locker ließ wie möglich. Und tatsächlich, obwohl ihr beinahe gänzlich schwarz vor Augen war, sah sie, dass sie umfiel. Als sie auf dem Boden aufschlug, spürte sie den Schmerz, ließ sich aber nicht beirren, sondern wälzte sich hin und her, als wollte sie etwas abschütteln. Und es gelang! Nach und nach kam Gefühl in ihre Glieder und sie konnte sich aufsetzen. Fahrig rieb sie sich über Arme und Beine.

»Das war knapp«, konstatierte sie schließlich. Elisa konnte nicht aufhören, sich selbst zu kneifen und zu drücken, aus Angst, es zu verpassen, dass Enzrich sie erneut besessen machen wollte.

David deutete zur Wand und sagte: »Schau!«

An der weiß verputzten Wand bildeten sich rote Flecke. Zunächst sahen sie wie wilde, zufällige Muster aus, aber nach wenigen Sekunden wurden erste Buchstaben erkennbar. Schließlich ganze Worte. »Tod für meinen Tod. Kein Erbarmen wird euch zuteil.«

Unter Cyrils Leiche trat weiteres Blut hervor. Die Lache wurde stets größer. Dort war viel mehr Blut, als ein einzelner Mensch in seinem Körper fließen haben konnte. Regungslos verharrten David und Elisa. Starrten auf das Blut, das sich ihnen näherte. Fast erreichte es die Kante des Teppichs, auf dem sie sich befanden.

»Es reicht. Ich muss hier raus. Genug ist genug«, rief Elisa und erkannte diese schrille Stimme kaum als ihre eigene. Die Angst machte sie rasend. Sie lief zur Tür, hämmerte dagegen und rief immer wieder, dass sie herausgelassen werden wollte. Davids hinderliche Hand auf ihrer Schulter schüttelte sie Mal für Mal ab. Sie schrie sich die Seele aus dem Leib.

Irgendwann gab die Tür nach, ließ sich öffnen und Elisa stolperte in den Flur. Sie verlor keine Worte des Dankes, sondern umarmte für wenige flüchtige Sekunden Maria, ihre Retterin, und hastete sogleich in ihr Zimmer. Sie schloss sich ein, wickelte sich in die Bettdecke und setzte sich auf den Boden, wo sie sich an die Tür anlehnte.

In dieser Nacht fand Elisa keine Ruhe.

5. Tag

11. Kapitel

Elisa stand vor einem endlos langen Bücherregal. Neben ihr tauchte eine flauschige graue Katze auf, hob ihr Pfötchen und klopfte sachte an eines der Regalbretter. Immer wieder. Das Geräusch störte Elisa so sehr, dass sie versuchte wegzulaufen, aber sie konnte sich nicht von der Stelle bewegen.

Es dauerte einige Zeit, bis Elisa endlich aus ihrem Traum erwachte und auf das Klopfen reagierte. Endlich begriff sie, dass das Geräusch real war. Da Elisa sich mit dem Kopf und dem Rücken gegen die Tür lehnte, wurde ihr das zunehmend stärkere Klopfen unangenehm. Sie beeilte sich trotz am Gaumen klebender Zunge zu fragen, wer da war.

David stand vor der Tür. »Möchtest du nicht mitkommen? Wir gehen jetzt hinunter in die Tunnel. Vielleicht finden wir ja tatsächlich einen Ausweg.«

Elisa erbat sich einen Moment, um noch ihre Morgentoilette zu erledigen. Ein wenig zurechtgemacht und nach ihrer gestrigen Flucht in ihr Zimmer wieder einigermaßen vorzeigbar, lief sie die Treppe herunter. Dort bekam sie gerade noch mit, wie Joseph schimpfte. Marias Schultern bebten vor unterdrücktem Weinen und Wendelin holte immer wieder Luft, um etwas zu sagen, kam aber nicht dazu.

Joseph gestikulierte wild und sagte: »Alles also umsonst? War euch denn die Gefahr nicht bewusst, in der wir schwebten? Wenn ich mir überlege, was Theresia hätte passieren können. Und es hätte auch gar nicht erst dazu kommen müssen, dass sie sich in den Tunneln verirrt. Ihr solltet euch beide was schämen. Nennt euch Gastgeber. Kerkermeister, das seid ihr! Gewissenlose Kerkermeister.«

Theresia, die inzwischen ein wenig erholt aussah, nahm die Hände ihres Gatten in ihre eigenen. »Beruhige dich doch, Joseph. Immerhin haben sie jetzt ihr Wissen mit uns geteilt.«

»Viel zu spät«, spie er aus.

»Was geht hier vor sich?«, verlangte Elisa zu erfahren.

Joseph schnaubte. »Herr und Frau Gastgeber haben uns einen ›Hinweis‹ geben wollen, wo wir in den Tunneln nach einem Ausgang suchen könnten. Nach einigem Hin und Her kam heraus, dass die beiden ziemlich genau von einem Fluchtweg wissen. Diesen zu finden dürfte damit ein Leichtes sein. Wenn wir das nur früher … «

»Joseph!«, schnitt Theresia ihm das Wort ab und schüttelte ihren Kopf, sodass sich eine Strähne aus ihrer Frisur löste, die sie widerwillig und mit vorwurfsvollen Blicken an ihren Mann gerichtet wieder zurücksteckte.

»Wir wissen ja nichts Genaues. Sind ihn nie gegangen. Hatten es nie für nötig befunden, weil wir ja immer alles vorrätig hatten, was wir brauchten, wenn so viel Schnee lag.«

Maria nickte zu Wendelins Worten und fügte hinzu: »Wir hätten euch dennoch von dem Ausweg erzählen sollen. Entschuldigt bitte, es war … «

David schlug mit der Faust auf den Tisch. »Ein *goddamned mistake* war es! Cyril ist tot. Das hätte verhindert werden können. Wie kann man so gedankenlos mit dem Leben seiner Gäste spielen? Das widert mich an.« Er stieß den Tisch ein Stück weit von sich, dreht sich um und ging Richtung Keller.

Als Elisa ihre Augen von David losriss, um Wendelin und Maria zu beobachten, konnte sie ein zartes Pflänzchen Mitgefühl nicht daran hindern, in sich aufzukeimen. Wie er seiner Frau den Arm um die Schultern legte, rührte sie und sie hätte sich gewünscht, selbst irgendwann einmal nicht mehr alleine sein zu müssen. Die Freiheiten, die ihr Gatte ihr schenkte, brachten auch Einsamkeit mit sich. Aber vielleicht gab es da ja einen Weg.

»Ich werde zusammen mit David prüfen, ob der Fluchttunnel begehbar ist. Schone dich noch ein wenig, Liebes. Vielleicht leistet Elisa dir ja Gesellschaft«, sagte Joseph.

Elisa schüttelte den Kopf. »Ich schließe mich euch lieber an. Entschuldige, Theresia.« Sie nahm einen Kerzenhalter vom Tisch, entzündete die Kerzen und folgte Joseph in den Keller.

Einmal blickte sich Elisa noch über die Schulter, um sich von Theresias Wohlbefinden zu überzeugen. Sie wurde allerdings Wendelins Mimik gewahr. Sein Unterkiefer zuckte, als unterdrückte er ein Lächeln. Schnell drehte er sich weg, als er bemerkte, dass sie zu ihm schaute. Verwirrt winkte Elisa Theresia zu. Hastig schloss sie zu Joseph auf.

»Lass mich vorangehen«, sagte Joseph, als sie ihn überholen wollte, und schob sie beiseite. Sie stiegen durch die Luke. Anschließend riefen sie nach David. Weit war er noch nicht gekommen.

Die Männer folgten nebeneinander dem engen Tunnelsystem. Offensichtlich glaubten sie zu wissen, wohin sie gehen mussten. Elisa hatte Wendelins Beschreibung verschlafen und verfluchte sich im Stillen dafür. Sie fühlte sich nutzlos, wie sie den beiden nachlief. Wie ein Schoßhündchen, das man gnädigerweise zur Jagd mitgenommen hatte, wo es eigentlich nichts zu suchen hatte.

Elisa spürte, wie all das Gestein, das über ihr lag, sie schier in die Knie niederdrückte. Kaum konnte sie atmen, so beengt fühlte sie sich. Und immer wieder schaute sie zurück über ihre Schulter, da vermeintliche Blicke sie im Nacken kitzelten. Die beiden Männer, denen sie weiterhin wie ein braves Entenküken folgte, schienen keine solchen Gefühle zu hegen.

»Hier rechts«, hörte sie Joseph sagen.

»Nein, hier noch einmal links«, widersprach David.

Joseph schnaubte ungehalten. »Ich bin mir sicher.«

David drehte sich plötzlich irritiert im Kreis. »Hier dürfte es gar keine drei Abzweigungen geben, Joseph. Was, wenn Wendelins Beschreibung nicht stimmt?«

Elisa tippte beiden auf die Schulter. »Falls nun auch ich meine bescheidene Meinung anbringen darf«, sagte sie, »aber wir waren hier bereits. Dort drüben der Stein erinnert mich an einen Totenschädel, ich bin mir sicher, dass wir irgendwie im Kreis gelaufen sein müssen.«

David schaute sich um, Joseph widersprach jedoch: »Unmöglich. Absolut unmöglich.«

»Es ist der Geist. Enzrich verhindert, dass wir den Gasthof verlassen«, Elisa war ein wenig überrascht, dass sie es den beiden so deutlich machen musste.

David schaute sich wieder um, Joseph widersprach aber nicht, sondern zog den Kopf ein. »Was nun? Wie sollen wir den verdammten Ausweg aus diesem Labyrinth finden?«, fragte Joseph.

»Wir gehen schlicht den Weg, den Wendelin uns genannt hat. Wir müssen eben wachsam bleiben. Ich lasse mich nicht von einem Toten zum Narren halten«, sagte David und ging entschlossen weiter. Joseph sah ihm nach und setzte sich erst in Bewegung, als Elisa schon an ihm vorübergeeilt war.

Elisa konnte sich keinen Reim darauf machen, wie David Wendelins Wegbeschreibung folgen wollte, wenn er gar nicht wusste, an welcher Stelle derselben er sich befand. Aber dass das Verderben auf sie wartete, was auch immer sie nun tat, dessen war sie sich inzwischen sicher. *Dann kann ich genauso gut David folgen und hoffen, dass wir den richtigen Weg wiederfinden,* entschied sie.

Niemand sprach ein Wort. Wie eine Gänseschar liefen sie hintereinander aufgereiht, wobei David die gänsemütterliche Führung übernahm. Elisa machte sich immer wieder aufs Neue bewusst, dass sie gerade dabei war, einen Ausgang aus dieser Misere im Waldgasthof zu finden, um ruhig zu bleiben. Die immer enger heranrückenden Wände verdrängte sie ebenso wie die immer niedriger liegende Tunneldecke oder die modrige Luft. Sie hinterfragte auch Davids Entscheidungen nicht, welchen Weg sie gehen sollten. Elisa setzte alles daran, nicht verrückt zu werden. *Wir finden den Ausweg. Kehren zurück und holen die anderen und einen Teil unserer Habe. Und bald sitze ich in einer Kutsche. Egal wohin*, sagte sich Elisa stetig vor. *Bald sitze ich in einer Kutsche und fahre weg von hier, so schnell die Pferde galoppieren können.*

Sie bekam mit, dass sich nun auch Joseph hin und wieder umdrehte und nachsah, ob ihnen jemand folgte. Ihr war es zwar wohler, in der Mitte der beiden zu gehen, aber ihr ungutes Gefühl verstärkte sich, da sie nicht die Einzige war, die den Verdacht hegte, verfolgt zu werden. Elisa wischte sich den Schweiß von der Stirn, obwohl es dort unten sehr kalt war.

»Rechts oder links oder die Mitte?«, murmelte David.

»Haben wir uns nun doch verirrt?«, flüsterte Elisa und traute sich nicht, diese Frage lauter zu stellen.

David blieb stehen. »Ich fürchte ja. Entschuldigt, ich kann nicht einmal sagen, an welcher Stelle. Ich war mir so sicher, nicht vom Weg abgekommen zu sein.«

Joseph sagte, während er sich erneut umdrehte und hinter sich spähte: »Verfluchtes Labyrinth!«

Elisa sammelt den letzten Rest Mut, den sie noch hatte, und stellte die zweite Frage, die sie eigentlich gar nicht stellen wollte: »Du fühlst es auch? Ich meine, dass wir verfolgt werden?«

»Ach, das kommt nur von diesen Tunneln. Man fühlt sich ja fast wie in einem Grab hier unten.« Joseph zuckte mit den Schultern. Elisa glaubte ihm nicht ein einziges Wort seiner Beschwichtigung.

»Riecht ihr das?«, wollte David wissen.

Elisa konzentrierte sich nicht länger auf das, was sie sah oder was eventuell in der Dunkelheit hinter ihnen lauerte, sondern sog die kalte, feuchte Luft in ihre Nase. Sie roch Erde, Stein und tatsächlich noch etwas anderes. Sie konnte oder vielleicht wollte sie es nicht benennen können, aber da war etwas. Ganz fein, dennoch drängend. Irgendwo zwischen süßlich und modrig.

»Lasst uns noch ein Stück weitergehen«, bat David.

Sie gingen. Langsam wurde der Geruch intensiver. Elisa konnte ihn nicht mehr ausblenden, so sehr sie sich das auch wünschte.

Joseph krächzte hinter ihr: »Tod und Verwesung, das ist es, wonach es hier riecht.«

»Vielleicht hat sich ein großes Tier hier unten verirrt und ist gestorben. Das hieße immerhin, dass es einen Ausweg geben muss«, schlug David vor.

Elisas gesunder Menschenverstand schrie sie an, nicht mehr den Gängen und Irrwegen weiter zu folgen. Dennoch setzte sie hinter David Schritt für Schritt. Sie bogen eine steile Linkskurve ab und kamen in eine kleine Höhle. Man konnte gerade noch aufrecht stehen. Durch ihre beinahe quadratischen Ausmaße wirkte die Höhle wie ein Raum. Viel konnte Elisa nicht sehen, da sie so dicht hinter David gelaufen war, aber irgendwelche Dinge lagen ringsherum verstreut.

David lief plötzlich rückwärts. Er stieß gegen sie, drehte sich aber nicht um. Mit einem Arm schob er sie ebenfalls nach hinten.

»Umkehren. Wir müssen …«, David kam nicht dazu, zu sagen, was sie mussten.

»Habt ihr also endlich hergefunden. Ich dachte schon, das wird nichts mehr.«

Elisa glaubte, dass sie sich verhört haben musste. »Wendelin, was willst du hier?«

Wendelin lachte, hustete und antwortete: »Das ist eine unverschämte Frage. Immerhin befindet ihr euch in meinem stillen Kämmerchen. In meiner Deponie, sozusagen.«

»Was hast du mit ihnen gemacht? Und warum mussten sie sterben?«, fragte David mit grabesschwerer Stimme.

Verwirrt blickte Elisa vom einen zum anderen. Als die Erkenntnis am Horizont ihres Verstandes dämmerte, richtete sie ihr Augenmerk auf die nur so spärlich vom Kerzenlicht beleuchteten Ecken und Winkel des Höhlenraumes. Der Deponie.

Menschliche Überreste. Das sind Knochen und Leichen. Ich stehe hier zwischen toten Menschen. Elisas Herz, so müde es auch durch die Angst der letzten Stunden und Tage war, raste einen erneuten Spurt.

Ohne Aufforderung begann Wendelin zu berichten. Prahlerei konnte Elisa in seiner Stimme erkennen und nicht das Geständnis von jemandem, dem seine Sünden lange auf der Seele lasteten. »Ja, ich habe sie alle getötet. Seit Enzrich starb, hat niemand mehr meinen Waldgasthof lebendig verlassen. Es ging so bergab mit uns. Ich wollte meinem Sohn einmal den Hof vererben, so wie ich ihn von meinem Vater und der ihn von seinem Vater erbte. Ich konnte doch nicht derjenige sein, der versagte. So viele Gäste wollte ich hier versammeln, wie sie in den großen Hotels residieren. Und meine Maria, die gute Frau, ahnt nichts.«

»Wie hätte ich nichts davon ahnen können?«, fragte Maria, die unvermittelt hinter Wendelin auftauchte. »Wo sich doch seit Jahren kein einziger Gast von mir verabschiedet? Alle gehen sie plötzlich, während ich irgendeine Arbeit verrichte. Übereilt, wie du sagtest. Und du, hast du dann ihre Habseligkeiten heimlich aus den Zimmern geschafft? Ich wollte es nicht wahrhaben, habe es lediglich vermutet. Aber nun, wo ich sie sehe, wo ich den Gestank rieche ... Wendelin, du elendiges Schwein!«

»Was soll das hier werden, Wendelin?« Davids Frage klang eher nach einer Drohung.

»Liebling, gehe doch lieber nach oben. Ich möchte nicht, dass du mit ansiehst, wie ich die drei töte.«

»Nichts dergleichen wirst du tun. Das muss ein Ende haben!« Maria klang ungehalten, aber nicht entsetzt. Elisa war zu keiner Regung fähig. Alles kam ihr so unwirklich vor, dass sie schlichtweg nicht verpassen wollte, was als Nächstes geschehen würde.

»Du kannst doch nicht annehmen, dass du es mit zwei Männern und Elisa gleichzeitig aufnehmen kannst«, empörte sich Joseph, woraufhin Wendelin einen Revolver zog und auf ihn richtete.

»Bumm, bumm und bumm! Drei auf einen Streich«, sagte Wendelin.

»Liebling, bist du völlig von Sinnen? Leg das weg! Woher hast du das Ding überhaupt?«

»Weißt du noch, dieser Jäger hatte ihn bei sich. Hat ihm nichts genützt, will ich meinen.« Wendelin schaute in eine Richtung. Elisa schlussfolgerte, dass dort die Überreste des Besagten liegen mussten.

»Wendelin, du rettest den Waldgasthof doch nicht, wenn du Leichen hier unten ein Quartier bietest«, sagte Elisa kopfschüttelnd. Sie konnte es einfach nicht fassen.

»Wie auch immer, wir gehen jetzt wieder hinauf. Und ihr stärkt euch erst einmal«, fügte Maria mit einem bösen

Blick zu ihrem Gatten hinzu. »Hier wird niemand mehr umgebracht.«

Mit einer steilen Falte zwischen den zusammengezogenen Augenbrauen und grimmig geschürzten Lippen warf Wendelin den Revolver in Richtung des vermutlichen ehemaligen Herrn Jäger. Aufatmen konnte Elisa trotzdem nicht, sie traute Wendelin inzwischen alles zu. Immerhin schien ihm trotz seines Wahnsinns das Wort seiner Gattin etwas zu bedeuten. An diesem Strohhalm versuchte sich Elisa festzuklammern.

»Wo ist Theresia?«, fragte Joseph Maria, die zuvor seiner Frau hatte Gesellschaft leisten wollen – im Gegensatz zu Elisa.

»Keine Sorge, sie hat sich schlafen gelegt«, sagte Maria und wiederholte dies nochmal, nachdem sie Josephs skeptischen Blicks gewahr wurde.

David wandte sich an Maria. Er durchbohrte sie schier mit seinem Blick. »Wenn Wendelin uns von Vornherein den falschen Weg nannte und uns hierher lotsen wollte, kannst du uns dann sagen, welches der richtige Weg hinaus ist?«

Die Angesprochene senkte den Kopf. »Ich wusste nicht, dass er euch absichtlich falsch geschickt hat. Aber soweit mir bekannt ist, kann man an den richtigen Abzweigungen am Boden eine Markierung ausmachen. Ich dachte, er nennt euch diesen Weg. Er sollte aber auch für euch selbst zu finden sein, wenn ihr bei Gabelungen auf ein kleines »X« am Boden der zu wählenden Abzweigung achtet.«

»Danke. Ich für meinen Teil würde auf die Stärkung verzichten und sofort damit beginnen, den Weg in die

Freiheit zu suchen«, erklärte Elisa. Sie konnte sich nicht vorstellen, noch eine Nacht gemeinsam mit einem rachsüchtigen Geist und einem wahnsinnigen Mörder zu verbringen.

David schloss sich an, Joseph hingegen ließ der Gedanke an Theresia keine Ruhe und er wollte nach seiner Frau schauen gehen.

Gerade als alle Wendelins sogenanntes »Depot« verlassen wollten, schrie der Gasthofbesitzer: »Ihr könnt nicht einfach gehen! Mein Geheimnis muss geschützt bleiben. Maria, du kannst sie nicht gehen lassen! Bitte, lass sie mich umbringen. Das ist doch auch in deinem Interesse.«

Marias schwer aufrechterhaltene Ruhe verblich. Mit ausladenden Schritten ging sie zu Wendelin und ohrfeigte ihn mit aller Kraft. »Du bist ein Mörder. Du widerst mich an. Du musst endlich für deine Fehler einstehen. Mein Sohn und ich, wir können versuchen den Gasthof zu retten. Aber du, du kannst nicht einfach so weitermachen. Du hast es nur schlimmer gemacht. Oder weißt du nichts von unserem Ruf hier in der Umgebung?«

Elisa dachte kurz an den Kutscher, der sie hier abgesetzt hatte. Er hatte unter keinen Umständen bleiben wollen und sie beim Abschied abschätzend angesehen. Oder im Nachhinein betrachtet hätte es auch Mitleid gewesen sein können.

Wendelin starrte seine Frau an. Zunächst blieb jede Reaktion aus. Nicht der winzigste Muskel bewegte sich in seinem Leib. Dann färbte sich sein Gesicht rot und plötzlich klatschte es einmal, als er Maria zurück schlug. Joseph und David ergriffen seine Arme, aber er beachtete die beiden nicht, als er mehr wie ein Wolf knurrte als wie ein Mensch sagte: »Du *Gurre*, du undankbares Miststück. Für dich, für uns habe ich all das getan und nun nennst du mich widerlich? So wahr mir Gott helfe, hier wird keiner mehr lebend herauskommen. Jetzt machst du große Augen. Wenn ich mit dir fertig bin, kannst du wieder bei deinem ›Holdi‹ sein, du Dirne.« Wendelin zog und zerrte und versuchte sich zu befreien. Er raste vor Wut und Wahnsinn, aber sie konnten ihn unter größter Anstrengung festhalten.

Maria sah müde aus. Als wäre sie innerhalb der letzten Minuten gealtert, zogen sich tiefe Furchen durch ihr Gesicht. Bevor sie sich abwandte, sagte sie schlicht: »Gott hilft einer Kreatur wie dir gewiss nicht.«

Niemand regte sich. Maria musterte Wendelin aufmerksam. Sein Handabdruck zierte ihre Wange. Sie legte den Kopf schief und sagte: »Ich denke, ihr könnt ihn loslassen.«

Joseph und David tauschten ratlose Blicke, aber Maria nickte ihnen aufmunternd zu. Elisa beobachtete gebannt, was da vor sich ging. »Maria ...«, setzte Elisa an, wurde aber von ihr unterbrochen.

Unter Nichtbeachtung der anderen näherte sich Maria ihrem Gatten und sagte: »Wendelin, ich glaube, vielleicht hast du doch recht. Gib mir die Waffe. Es lasten bereits genügend Seelen auf deinem Gewissen. Es ist Zeit, dass ich meinen Beitrag leiste, Liebling. Ich habe einen Fehler wiedergutzumachen.«

Elisas Augen schmerzten, so weit riss sie sie vor Fassungslosigkeit auf. Bevor sie oder einer der beiden Männer sich hätten bewegen können, streckte Wendelin seiner Gattin einen zweiten Revolver entgegen.

Sie nahm ihn, betrachtete das Stück und deutete auf den Abzug. Wendelin nickte und sie zog ihn. »Ich wusste noch, dass mir der Jäger stets wie einer dieser Cowboys aus dem Wilden Westen vorgekommen war. Er hatte zwei Revolver«, erinnerte sich Maria. Sie hob die Waffe, richtete sie allerdings nicht auf Elisa, Joseph oder David. Sie zielte auf Wendelin. »Entschuldige“, sagte sie und schoss.

Der Knall vibrierte durch Elisas Körper. Kurz hörte sie nichts. Ihre Ohren pochten vor Schmerz, sodass sie ihre Fäuste dagegen schlug.

Ein Blutfleck breitete sich auf Wendelins Brust aus. Er ging zu Boden. Mit Fassungslosigkeit in den sich trübenden Augen hauchte er sein Leben aus.

Maria schenkte ihren Gästen keine Beachtung. Sie beobachtete Wendelins Hinscheiden, als wäre es etwas, das sie schon lange hatte mit ansehen wollen. Nach einer Weile, in der sich auch Elisas Ohren ein wenig erholen konnten, wandte sich Maria den Zeugen ihres Mordes zu. »Er musste gehen. Vielleicht hätte er niemals damit aufgehört, Menschen zu töten«, erklärte sie. »Ich möchte meinem Sohn ein sündenfreies Erbe hinterlassen, mit dem er verfahren kann, wie er möchte. Meinetwegen soll er es verkaufen. Seine Eltern dürfen ihm mit ihren Taten nicht länger im Weg stehen.« Maria hob die Hand, in der sie noch immer den Revolver hielt, spannte den Hahn erneut und drückte ab, bevor jemand etwas dagegen tun konnte. Maria schoss sich in den Kopf und fiel sogleich tot zu Boden.

Elisa war nicht fähig, ein größeres Ausmaß an Schrecken, Angst, Trauer oder Wut zu empfinden. Sie sah die beiden Gasthofbesitzer am Boden liegen und dachte daran, dass es wohl das war, was Enzrich sich gewünscht hatte. Sie wollte diesem grauenhaften Ort so bald wie möglich den Rücken kehren.

»Lasst uns nach Hause gehen«, schlug Joseph vor, womit er ihr aus dem Herzen sprach.

Gemeinsam und sogar, ohne sich zu verirren, fanden sie den Weg zurück zur Falltür, die in den Keller führte. Jeder Schritt, der Elisa wieder weg von der Freiheit führte, fiel ihr schwer. Aber mit jedem Schritt verankerte sich auch eine Erkenntnis tiefer in ihrem Herzen: Sie wollte gar nicht mehr nach Freiburg. Sie wollte hinaus in die Welt und ihr eigenes Leben leben. Nicht mehr dokumentieren und davon berichten, was andere erlebt hatten, sie wollte selbst Zeitungen füllen – oder zumindest ihr Tagebuch.

Wenige Stunden später waren Elisa, Theresia, David und Joseph den Markierungen gefolgt. An Wendelins und Marias Leichnamen, die im Tod vereint in den Gängen ihres Waldgasthofes begraben lagen, der schon so vielen vor ihnen als Grab gedient hatte, führte ihr Weg sie glücklicherweise nicht vorbei. Sie würden dennoch einen Diener der Gerichtsbarkeit zu diesem Ort des Todes schicken, sobald sie im nächsten Ort einträfen.

Der Tunnel endete in einer verborgenen Höhle im Wald, die glücklicherweise trotz des Schnees gut zugänglich war. Auch im Wald lag der Schnee nicht so hoch, wie sie befürchtet hatten. Es war also Wendelins Machenschaft zuzuschreiben, dass sie Gefangene des Gasthofs gewesen waren. Der Schneesturm, der Elisa in seine Arme getrieben hatte, musste zwar heftig, aber kurz gewesen sein. *Ob er uns von außen eingesperrt hat und durch diese Höhle selbst wieder hereingelangt ist?,* rätselte Elisa.

Da sie nur wenig Gepäck mit sich führten, würden sie noch vor der Abenddämmerung das nächste kleine Dorf erreichen. Elisa schaute sich weiterhin alle paar Meter über die Schulter. Das Abenteuer war überstanden. Kein Herr Enzrich mehr, der sie zurückhielt. Elisa begriff, dass sie nun wieder nach vorne und ihrem Leben entgegensehen konnte.

Als hätte David ihre Aufbruchstimmung gespürt, fragte er: »Und, kommst du mit?«

Elisa lächelte und zuckte mit den Schultern.

Glossar

Des wär noo scheener, wenn es des nit packe dät!

Das wäre noch schöner, wenn es das nicht schaffen würde.

Des wär doch glacht!

Das wäre doch gelacht!

Dunderwätter!

Donnerwetter!

Ginkel

Beschimpfung für verängstigten Mann

Glaubsch, ich bin bleed?

Glaubst du, ich bin blöd?

Gopferdori!

Gott verdamme mich (Verballhornung)

Gurre

Beschimpfung für untreue Ehefrau

Heilandsack!

Heiland Sakrament (Verballlhornung)

Maidli

Mädchen, junge Frau

Sappremement noch emol ni

Sakrament noch einmal hinein (wobei *noch emol ni* nur als Verstärkung dient)

Schluri

Nichtsnutz

Waisch noo?

Weißt du noch?

Wunderet dich des?

Wundert dich das?

Nachwort

Ich liebe es, in Geschichten über reale Schriftsteller zu stolpern. Deshalb konnte ich es mir nicht verkneifen, in diesem Kurzroman zumindest am Rande eine sehr prominente literarische Persönlichkeit auftauchen zu lassen: Wilhelm Grimm. Er war der jüngere der beiden Grimm-Brüder, die nicht nur für ihre Märchen bekannt wurden. Sie gelten auch als bedeutende Sprach- und Literaturwissenschaftler und als Begründer der Germanistik.

Wilhelm Grimm befand sich 1846 tatsächlich in Frankfurt und hielt auf dem Germanistentag einen Vortrag über das Wörterbuch, an dem er mit seinem Bruder arbeitete.

[Quelle: http://www.tagesspiegel.de/kultur/wilhelm-grimm-und-wenn-sie-nicht-gestorben-sind/1648760.html , sein Vortrag: http://www.zeit.de/reden/die_historische_rede/200224_grimm_woerterbuch]

Ob er anschließend in einer Spelunke seine Trinkfestigkeit unter Beweis stellte und ob diese überhaupt vorhanden war, ist meines Wissens nach nicht überliefert. Ich habe mir die Freiheit genommen, ihm beides nachzusagen. Ein Märchenonkel war er aber bestimmt! :-)

An anderer Stelle habe ich eine Figur von E. T. A. Hoffmann erwähnt, der für seine düsteren Texte ebenso bekannt ist wie für seine Kriminalgeschichten. „Das Fräulein von Scuderi", erschienen 1819/21, in der das erwähnte Fräulein dank ihrer Intelligenz und ihrer vorurteilsfreien Nachforschung eine Mordserie auflöst, wird vielfach als erste richtige Kriminalgeschichte eines deutschen Autors aufgeführt.

Danksagung

Allen lieben Menschen, die sich in meinem Leben tummeln, ein herzliches Dankeschön, dass es euch gibt. Ihr wisst, wer gemeint ist! :-)

Auch dieses Mal geht ein riesiger Dank an meine fleißigen Testleser-Bienchen Sophia Berg, »Tilia Salix« und »Ayasha«. Ich danke euch von Herzen für eure Zeit und eure Kritik, aber auch für eure ermunternden Worte. Ihr seid großartig, das muss einfach mal gesagt werden.

Frau Friedel Scheer-Nahor der alemannischen „Muettersproch-Gsellschaft“ (www.alemannisch.de) möchte ich sehr für Ihre Hilfe danken, ein bisschen Dialekt in meinen Kurzroman zu bringen. Ihr Schatz an fantastischen und urigen Wörtern hat mich dermaßen begeistert, dass ich eine Auswahl davon unbedingt dem Gasthausehepaar Wendelin und Maria in den Mund legen wollte.

Ein Dankeschön auch an meine Korrektorin, Frau Doris Eichhorn-Zeller, die auch auf den letzten Drücker immer hilfsbereit und gründlich ist. Ich danke Ihnen für das Finden all der kleinen, fiesen Fehlerteufelchen.

Außerdem von der Autorin erhältlich:

Redthorne Castle

Roman

England 1884 – Die junge Schriftstellerin Joanne Hadley wähnte sich im Paradies: Mit Gleichgesinnten ist sie zu einem Treffen auf Redthorne Castle geladen, um gemeinsam Literatur zu schaffen. Doch einer nach dem anderen stirbt und es gibt wegen der defekten Zugbrücke kein Entrinnen. Für Joanne gilt es, herauszufinden, was in dem Gemäuer vor sich geht. Kann sie sich und die anderen vor dem Tod bewahren, der im alten Gemäuer umgeht?

Fürchte die Schatten der Nacht

Kurzroman

In Jennas Welt sind Vampire keine Gentlemen. Sie sind blutrünstige, seelenlose Bestien, die in der Dunkelheit lauern, um sich am Blut ihrer Opfer zu laben und sie zu ihresgleichen zu machen. Dennoch ist Jenna gezwungen, eines Nachts für ihren jüngeren Bruder das Haus zu verlassen. Danach steht ihre Welt kopf: Sie fällt einem Fremden in die Arme und möchte sich fortan öfter in die Finsternis hinauswagen, um an seiner Seite zu sein. Doch man kann sich nicht davor wappnen, was in den Schatten der Nacht geschehen mag.

16555064R00088

Printed in Poland
by Amazon Fulfillment
Poland Sp. z o.o., Wrocław